知的生きかた文庫

たった「80単語」!
読むだけで「英語脳」になる本

船津 洋

三笠書房

はじめに

英語脳──中学英語だけで「すごい能力」が身につく本!

　本書は、**たった「80単語」で、皆さんの頭を「英語脳」にしてしまおう**という、いささか挑戦的な本です。
「英語脳」とは、ひと言で言えば「ネイティブの語感」で英語を理解できる頭。それを、わずか80単語、**しかも中学英語だけで身につけていただこう**、というのが本書の狙いです。
　日本人は何年もかけて英語を勉強するのに、どうして実際に「英語を話せる」ようにならないのでしょうか?
　よく耳にする疑問ですが、私は、その一番の原因は「**単語の覚え方**」にあると考えています。
　たとえば run という単語。
　ほとんどの人が、「走る」という意味を思い浮かべるでしょう。私たちは1つの英単語に対して1つ、もしくは2つ程度の「意味」とのペアで、英単語を覚えてきました。
　でも「run＝走る」で、次の文の意味がわかりますか?

I'll run your plan.

「私はあなたの計画を走る」——何がなにやら、さっぱりわかりませんね。

じつは、これ、「**私はあなたの計画を実行します**」といった意味なのです。

run の意味は「走る」だけではありません。辞書を引けば膨大な数の「意味」が載っています。その中にもちろん「実行する」もあります。

でも、それらをすべて記憶するなんて、できません。

では、どうしたらいいのか？　簡単です。

「英単語の覚え方」を、ちょっと変えるのです。

「単語」と「意味」を結びつける覚え方は、もうやめる。代わりに、「単語」を「**こんな感じ**」という**単語イメージで覚えればいい**のです。

たとえば、run なら「**サーッと動く**」感じ。

この単語イメージを、「**カーリングのストーン**」のイラストとともに頭に入れてください。

では今一度、例文を。

I have a run in my stocking.

どうですか？ ストッキングに「サーッと動く」ものと言えば——そう、**「伝線してしまった」**のです。

本書は全編にわたり、このような「単語イメージ+イラスト」という手法で単語を解説しています。

まず**単語イメージを、イラストとともに頭に入れる**。

そのうえで、**解説を読み流す**。

私としては、あくまでも言葉で理解するのではなく、感じることで言葉の雰囲気をつかんでいただきたい——だから、**さらりと読めるように軽いタッチで書きました**。

もちろん、面倒な文法解説は、いっさいありません。これが「中学英語」を、みるみる「使える英語」に変える近道なのです。

なぜ「たった80単語」だけで話せるのか？

私は、児童英語研究所でバイリンガル教育に従事しているので、いつも「言語習得のメカニズム」について思いをめぐらせています。

先日、アメリカを訪れたときのこと。大学時代、私の面

倒を見てくれた家族（ホストファミリー）と再会しました。その家の長男には今、カサンドラという4歳の娘がいます。

アメリカ生まれ、アメリカ育ちの子どもに会うのは久しぶりだったので、カサンドラと話しながら「アメリカの子どもの英語力」とはどのようなものなのか、勝手に観察させていただくことにしました。

子どもは、おおよそ2歳〜3歳で母語を身につけます。その段階の幼児が獲得しているのは、2歳児で250語、3歳児でわずか900語。そして4歳、カサンドラの年齢では1,500語が平均的です。

1,500語——これは、私たち日本人が、**中学3年間で習う程度の単語数**にすぎません。その程度の言葉しか知らないカサンドラが、実際にどれほど英語を話すのか、興味深く観察しました。

カサンドラの使う単語は、

have, come, go, get, take, on, in, out, dog…

と、われわれが中学校で習うような単語ばかり。

しかし、日本で英語教育を受けた日本人には、**カサンドラと同じくらい英語を理解し、話せる人はほとんどいません**。なぜでしょう？

「頻度別英単語リスト」というものがあります。

このリストは新聞、雑誌、書籍、広告などで日常目にする英単語を頻度別に集めたものです。このリストの最初の**1,000単語で、日常目にする英単語90パーセントをカバーしている**と言われています。

実際、このリストをのぞいてみると、

the, of, and, a, to, in, is, you, that, it…

と、**中学英語の単語がズラリ。**

試しに、ハリウッド映画を英語字幕で観てみてください。字幕を見てびっくりするはずです。ほとんど知っている単語ばかりですから。なのに、なぜか意味は理解できない。なぜでしょう？

その答えが、**本書なのです。**

「右脳刺激」──だからすぐ使える！ すぐ話せる！

先にあげた run を辞書で引いてみると、「走る、駆ける、旅行する、競技する、立候補する、帆走する、交際する、遡上する、流れる」などなど、100近くもの「意味」を目にすることになります。

4歳のカサンドラが、これらの「意味」を全部記憶して

いるのでしょうか？

　そんなはずがありません。

　彼ら、彼女ら、ネイティブは run という単語のもつ「定義」を何となく理解しているのです。そしてこれが、**わずか1,000語足らずで日常会話のほとんどをこなしてしまうネイティブ流の「英単語」の覚え方、使い方**なのです。

　言語を習得するには、論理的な「左脳」、感覚的な「右脳」の両方を使う必要があります。

　しかし日本人が通常受ける英語教育は、多分に「左脳」に偏っている——これが、数としては十分すぎるくらいに単語を知っているにもかかわらず、どうしても英語がパッとわからない、口をついて出てこない原因です。

　本書では、「感覚」「イメージ」という「**右脳的な刺激」を与えることで、「ネイティブの語感」を養ってもらおう**と考えました。

　こうした本書の挑戦が、多くの読者の方に役立つよう、心から願ってやみません。

　　　　　　　　　　　　　　　　　　船津　洋

たった「80単語」! 読むだけで「英語脳」になる本 ●もくじ

はじめに 英語脳——中学英語だけで「すごい能力」が身につく本! 3
本書の特長——「英語脳」を作る「5大ポイント」! 14
特別付録——音声の無料ダウンロードで、もっと「英語脳」に! 18

1章

「中学英語」で簡単に「英語脳」になる!

1 **make** = テキパキ整える 22
2 **run** = サーッと動く 26
3 **work** = うまくいく 30
4 **leave** = 置き去りにする 34
5 **group** = まとめる 38
6 **like** = すごく近く 40
7 **picture** = 像を思い描く 44
8 **too** = 折り重なる 46
9 **hear** = 耳に入る 48
10 **ask** = お伺いを立てる 50
11 **play** = 自分を楽しませる 52

12 **use** = 使いこなす　56
13 **but** = 反対同士をつなぐ　60
14 **begin** = とりあえず始める　62
15 **hand** = せっせと働く手　64
16 **when** = ピッタリのタイミング　68
17 **as** = ピントを合わせる　70
18 **try** = 試しにやってみる　74
19 **how** = どれほど　76
20 **what** = どんなもの？　80

2章

「芋づる式」でどんどん「英語脳」になる！

21 **come** = やってくる　84
22 **go** = 進んでいく　88
23 **take** = ぐいとつかむ　92
24 **get** = ガッツリとらえる　96
25 **have** = すでにある　100
26 **tell** = きちんと伝える　104
27 **say** = 言葉を発する　106
28 **call** = ズバリ呼ぶ　110
29 **need** = 足りないから必要　114

30 **want** = すごく欲しい　116
31 **put** = ポンと置く　118
32 **set** = きちんと整えて置く　122
33 **place** = ピッタリはまるところ　126
34 **in** = ポンポン放り込む　130
35 **into** = めがけてくる　134
36 **out** = ここから外へ出る　138
37 **for** = 向かう先　142
38 **to** = 指さした方向　146
39 **look** = ジッと見る　150
40 **see** = 目に入る　154

3章 「右脳」を上手に使って「英語脳」になる！

41 **at** = スポットをあてる　160
42 **it** = とりあえずの it　164
43 **of** = 何でもつなぐ　168
44 **do** = 何でもやる　172
45 **let** = したいようにさせる　176
46 **each** = 1つひとつ　180
47 **some** = いくらか・何らか　182

48 **many** = けっこうたくさん　184
49 **so** = こんな・そんな　186
50 **then** = ある時点をポンと指す　190
51 **this** = 目の前の一点　192
52 **that** = 自分から離れた一点　194
53 **there** = ちょっと離れたところ　198
54 **if** = もし！　202
55 **on** = ピタッとくっついている　204
56 **over** = 上のほう　208
57 **up** = 上へ上へ　212
58 **down** = どーんと落ちる　216
59 **by** = ピッタリ寄り添う　220
60 **with** = 一緒に　224

4章

「日常会話」でサクサクと「英語脳」になる！

61 **find** = 発見する　228
62 **know** = 知ってる！　232
63 **write** = 文字を書く　234
64 **give** = どうぞ、とあげる　236
65 **show** = ほら、と見せ示す　240

66 **keep** =そのまま保つ　244
67 **move** =よいしょ、と動かす　248
68 **turn** =クルリと回す　252
69 **live** =いきいき生きる　256
70 **cut** =スパッと切る　258
71 **all** =まとめて全部　262
72 **about** =〜の周辺　266
73 **back** =うしろがわ　270
74 **can** =とにかくできる　274
75 **face** =いろんなものの顔　278
76 **head** =てっぺん　282
77 **line** =一本線　286
78 **or** =どちらか選ばせる　290
79 **will** =強〜い意志　292
80 **from** =切り離す　296

さくいん　298

●本書の特長——「英語脳」を作る「5大ポイント」！①

1 「英語脳」をつくる！単語イメージ

単語のニュアンスを、ズバリひと言で表現。「単語イメージ」に触れれば触れるほど、「ネイティブの頭」で英語が使えるようになります。

04 leave ＝置き去りにする

Leave it to me!
私に任せて！（それを私に置き去りにして）

leave——「英語脳」になってみよう！

人やモノが「離れていく」——もっと言えば「置き去りにする」が leave のイメージ。学校では「去る」と習ったでしょうが、このイメージが leave を使いこなすコツです。

…in leaves at 10 o'clock.（電車が10時に出発します）
この場を「置き去り」にするんですね。

…aving the company?（彼は会社を辞めるの？）
置き去りにする、すなわち**会社を辞める**ことを意…。いなくなると言えば、子どもが成人すると、
…hildren have left home.
の子どもたちが出て行きました）
…ます。実家や両親を置き去りにするってことです

3 まず言ってみよう！キメの1フレーズ

記憶は口から入ってくる——「本当に使える英語」を習得するためには、一にも二にも「口に出してみること」。まず1フレーズで、英単語の"感触"を確かめてください。

「中学英語」で簡単に

ね。あるいは、モノを置き去りにする
I left my car key at the office. (会社に
　会社にカギを置き去りにしてしまった
には「置き忘れる」という意味になりますし、意図的に置き去りにすると、
I left a message on your desk. (メモを残しておきました)
　このように「残す」という意味合いになります。

「すぐ使える！ すぐ話せる！」コツ

いずれにしても、leave は何かをそこに置いて離れていく感覚。だから、**そこには「何か」が残るんです。**
You only have an hour left to catch the flight.
(フライトまでたった１時間しか残されていない)

残された１時間を持っているというニュア
Please leave me alone. (放っておいて)
「私を置き去りにして」、すなわち放ってお
常的によく使われる表現です。では、次はど
Who left the TV on? (誰がつけっぱなしにした
　テレビをオンの状態で置き去りにする、と
ただ「去る」のではなく、「**置き去りにする**
メージで leave をとらえると、よくわかるで

---

2 「単語イメージ」とダブルで効く！ イメージイラスト

単語イメージを瞬時に、確実にあなたの頭に定着させるイメージイラストを使用。

4 スイスイ頭に入る！ 世界一やさしい英単語解説

日常会話のフレーズをたくさん使いながら、実践的に単語のニュアンスをつかんでいきます。読む人の感覚を刺激する軽妙な解説は、まるで「個人レッスン」を受けているみたい。

●本書の特長——「英語脳」を作る「5大ポイント」！②

5 例文で単語を頭に定着させる！「英語脳」になるフレーズ集

「英語脳」のメソッドでもう１つ大事なのが「多読」。とにかくたくさん「流し読み」をして、目から頭に「英語のシャワー」を送り込む。これが「使える英語」習得への近道です。

「英語脳」になるフレーズ20

① He has **left** for work.
（仕事に向かい離れた→）仕事に出かけました。

② I'm **leaving** Las Vegas.
ラスベガスを後にします。

③ The shuttle bus **leaves** every 10 minutes.
シャトルバスは10分おきに出発します。

④ Where are you **leaving** for?
どこにお出かけですか？

⑤ Why did you **leave** school before finishing it?
なぜ途中で学校を辞めてしまったの？

⑥ We will never **leave** you.
あなたを見捨てない。（置き去りにしない）

⑦ We just **left** the bookstore on my left.
（左手に置き去る→）左手に本屋を通りすぎました。

⑧ **Leave** the report on my desk.
報告書は私のデスクに置いておくように。

⑨ **Leave** it to me. I'll fix it.
僕に任せて。直しておくよ。

⑩ He **left the office** at 6.
彼は６時に退社しました。

> leave the office だと「仕事をする場を去る＝退社する」。leave the company だと「会社そのものを去る＝退職する」というわけです。

leave

⑪ A lot of food was left over from the party.
パーティのあとにたくさんの食べものが残った。

⑫ I'll leave it to you where we go.
どこへ行くかはあなたに任せます。

⑬ Don't leave your car unlocked.
ロックせずに車を離れるな。

⑭ 7 minus 3 leaves 4.
7引く3は4（を残す）。

⑮ We had no food left.
食べものが残っていません。

⑯ Didn't you leave your jacket at my place?
ジャケットを私のところに忘れてない？

> モノの場合はforget（忘れる）よりleaveを使ったほうがネイティブっぽくなります。

⑰ I feel left out.
仲間はずれにされているように感じる。

⑱ Take it or leave it.
やるかやらないか。(ある選択肢を取るか、そのまま置き去りにするか)

⑲ I'll leave this book for you to read.
あなたが読めるようにこの本を置いておくね。

⑳ Don't get left behind.
(うしろに置き去られる→) とり残されないでね。

特別付録

＊本書に掲載された1430例文が全部聞ける！

＊ダウンロードサイトへのアクセスは超簡単！

◆その方法とは……

方法①

検索エンジンに「船津洋」と入力して「検索キー」をクリック

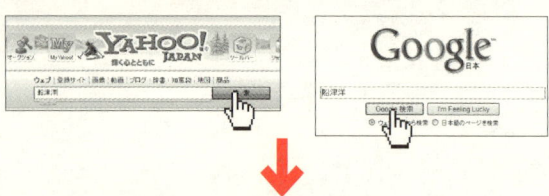

↓

「フナヒロドットコム」にアクセス！

フナヒロドットコム
船津洋 ... 中学生になって初めて英語に触れる子どもたちは、新鮮さと期待を持って英語の授業に臨みます。しかし、英語を身につけられると思って授業を受けている子どもたちが、実際には触れるのは、単語の丸暗記と退屈な文法解釈の授業です。
www.funatsuhiroshi.com - キャッシュ

↓

あとはガイダンスにしたがって
ダウンロードするだけ！

*ネイティブスピーカーによる「本物の発音」!

*読んで聞いて……ますます「使える英語」が身につく!

音声の**無料**(フリー)**ダウンロード**で、もっと「英語脳」に!

方法②

インターネットのアドレスバーに
下記URLを入力してENTER!

http://www.funatsuhiroshi.com/b80

アドレス(D) http://www.funatsuhiroshi.com/b80/

↓

Enter ↵

↓

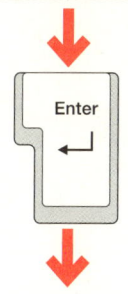

あとはガイダンスにしたがって
ダウンロードするだけ!

1章

「中学英語」で簡単に「英語脳」になる！

01 make
=テキパキ整える

> We made a great deal.
> よい取引ができた。

make——「英語脳」になってみよう！

make は「作る」と習ったはず。

Let's **make** a fruit salad.（フルーツサラダを作ろう）

I'll **make** you a lunch.（お昼ご飯を作ってあげるね）

ここまでなら、習ったとおりの「作る」ですね。

でも、何か目に見えるモノを「作る」だけではありません。むしろ make は「**テキパキ整える**」というイメージ。

たとえば……、

Make your bed.（ベッドを整えなさい）

職人や大工さんじゃないんですから、ベッドは作れません。「**ベッドの状態を作れ**」→「**整える**」のです。

もちろん、make は「作る」。まったくそのとおり。ただ、

「確かな状態を作る→**確実にする**」＝make sure

「場所を作る→**場所を空ける**」＝make room

「理解を作る→**わかる**」＝make sense

　とまぁ、「作る」モノはさまざまです。ぜんぶ合わせると**「テキパキ整える」**イメージがやっぱりしっくりきます。

「すぐ使える！ すぐ話せる！」コツ

　ではこれは？

What do you make of it?（それ何だと思う？）

「それで何作るの？」ではないんです。そこから、「**何を想像する？**」→「**何だと思う？**」というニュアンス。さらに自分のいる場所を整えれば……、

I made the plane just in time.（飛行機に間に合った〜）

　整えるのは、状況、場所ばかりではありません。「**誰かを〜の状態に整える**」であれば、「**〜させる**」という意味に。

I'll make him do it.（彼にさせよう）

　have や get も似たように使えます。だけど、ニュアンスの違いにはご用心。get は「（どうにか）させる」、have は「（命令して）させる」ですが、make は「**させる（状況を作り出す）**」という感じ。

　まるで敏腕プロデューサーみたいな単語ですね。

「英語脳」になるフレーズ20

① I **make** 1000 yen an hour.
私は時給1000円稼ぎます。

② Don't **make** an excuse.
言い訳をするな。

③ Ten times ten **makes** one hundred.
10×10は100（を作る）。

④ I **made** good time.
私は予定よりも早く着きました。

⑤ I don't want to **make** trouble.
問題を起こすつもりはない。

⑥ **That makes two of us.**
私もそうだ。

> 「それが私たち2人を作る」で「あなたが1人目、私が2人目」という意味になるんですね。

⑦ **Haste makes waste.**
急がば回れ。

⑧ The wine **makes** the dinner perfect.
ワインが食事を完璧にする。

⑨ He finally **made** himself famous.
彼はついに有名になった。

⑩ He **makes me sick**.
彼にはむかつく。

make

⑪ That **doesn't make sense** to me.
私にはわからない。

> make senseは「筋が通る、理にかなう、道理が合う」といった意味。この表現は「納得がいかない！」という場合に使います。

⑫ I **made myself clear**.
私は考えを明らかにした。

⑬ **I've made a decision**.
決心しました。

⑭ **Make sure** you bring your passport.
パスポートを忘れないように。

⑮ Let me **make it up** to you.
埋め合わせをさせてくれ。

> 「make up＝アップの状態に整える」で「埋め合わせをする」。約束を守れなかったときなどに使える表現です。

⑯ Let's **make a quick stop**.
ちょっと寄りましょう。

⑰ You **make** things more complicated.
あなたは物事をより複雑にする。

⑱ You'll **make** a good teacher.
あなたはきっとよい先生になるよ。

⑲ What **makes** you **think so**?
(何があなたにそう思わせるの？→) なぜそう思うの？

⑳ I **make little** of paintings.
絵のことはよくわからない。

02 run
=サーッと動く

> The time is running out.
> 時間がなくなります。

run──「英語脳」になってみよう！

run は「走る」。そのとおり。でも、単に「走る」だけではありません。**サーッと動く**感じです。

David is running.（デイビッドは走っている）

Yachts are running.（ヨットが走っている）

This road runs straight south.

（この道はまっすぐ南へ走っている）

ここまでは、ただの「走る」でも通じますね。水上を滑るような感じも、道がずっとまっすぐ続いている感じも、run で表現できます。でも、こうなると、どうでしょう？

Let me run over the report.（報告書にざっと目を通させて）

報告書の上を走る？　いえいえ、目が書類の上を**サーッ**

と動く——つまり、**ざっと目を通す**ということですね。

All the printing machines are running fine.
（印刷機はすべてうまく作動している）

　機械が走っているのではなく、**順調に動いている**のです。

I run a company.（私は会社を経営している）

　会社を動かしているのですから、**「経営する」**という意味になりますね。経営者は、瞬時に判断を下しながら、ものごとを**サーッと動かしていかなければいけない**……、そんなイメージです。

「すぐ使える！ すぐ話せる！」コツ

　では、これは何だと思いますか？

Pantyhose sometimes run.
（ストッキングがたまに伝線する）

　ストッキングの上を伝線がピーッと**走っていく**感じが、よくわかりますね。

He ran away from home.（彼は家出した）

　遠くへ**サーッと動く**……つまり**逃げてしまった**のです。

　そう、run は「走る」というよりは、むしろ人やものが、**スムーズに「サーッと動く」**感じ。そう考えると、いろいろな英語の文が、たちどころにわかるようになるのです。

「英語脳」になるフレーズ20

① I **ran to** the store.
店へ急ぎました。

② Salmon **run up** the river.
鮭が川を遡上します。

③ The horse **ran in** a big race.
その馬は大レースに出ました。

④ He **ran to** the police.
彼は警察へ駆け込みました。

⑤ A car **ran off** the course.
車がコースからはずれました。

⑥ I **ran across** Bob at the park.
私は公園でボブとばったり会いました。

⑦ Rapid trains **run** every thirty minutes.
快速電車は30分おきに運行しています。

⑧ Dogs are **running about** in the park.
犬たちが公園で走り回っています。

⑨ The river **runs** through the city.
川が街の中を流れています。

⑩ Tears **ran down** her cheeks.
涙が彼女の頬を伝った。

> どちらも実際に「走っている」わけではありません。「早歩き」でもrun。魚に至っては足がなくてもrunなんです。

> run across──「走って横切った」のではありません。「互いに交差した」=「ばったり会った」んですね。

run

⑪ Spilled ink **ran into** my shirt.
こぼれたインクがシャツに<u>にじんで</u>しまいました。

⑫ I'll give you **the run of my kitchen**.
<u>台所を自由に使う許可</u>を与えます。

> run=「動き回る」=「自由に動き回っていいよ」ということ。

⑬ I will **run for** the Presidency.
大統領選に<u>出馬</u>します。

⑭ I'll **run** your plan.
あなたの計画を<u>実行</u>します。

⑮ I'll take **a run to** the store.
<u>ひとっ走り</u>店に行ってきます。

⑯ Our plan **ran** awfully.
私たちの計画はさんざんな<u>結果</u>となりました。

⑰ Your plan is **running** well.
あなたのプランは順調に<u>進んで</u>います。

⑱ The total sales finally **ran to** $15,000,000.
合計売上高はついに1500万ドルに<u>到達</u>しました。

⑲ We have to **run** through the gate.
門を通って<u>逃げ</u>なければいけません。

⑳ I'm **running the risk** of my life.
命の危険を<u>冒している</u>んです。

03 work
=うまくいく

> I'm working on this project.
> この企画を実践中です。

work──「英語脳」になってみよう!

work を「仕事」もしくは「働く」と覚えている人が多いのでは? でも、これが誤解の元。

work は、じつは「**うまくいく**」を表わし、「仕事」や「働く」は、そこから派生した意味です。そうイメージしたほうが、はるかに使いやすくなる単語なんです。

まずは「うまくいく」そのものの例文を見てみましょう。

Our plan is working well.(計画がうまく進んでいる)

まさに「**うまくいく**」ですね。そして、うまくいくためには正確に作動しなければいけません。

Does this radio work?(ラジオ、壊れてない?)

「**正常に機能するの?**」という感じです。

そして、「うまくいく」ためには、一生懸命、仕事をしなければいけません。そこで……、

He's working late these days.
（彼は最近遅くまで働いている）

It's hard work.（これは大変な仕事だ）

He already left for work.（彼はすでに職場へ向かったよ）

ようやく「働く」の意味が登場します。上の2番目、3番目の例文のように、「**仕事**」「**職場**」という名詞として使ってもOK。

「すぐ使える！ すぐ話せる！」コツ

そして、がんばって仕事をしてできあがったものは「**作品**」となりますね。

I'm not satisfied with my works.（作品に満足していない）

がんばったわりに、うまくいかなかったようですが……。

このように、work は動詞にも名詞にもなる単語。

動詞なら「うまくいく」の意味から、「**目的のために作業をする**」「**機械が問題なく機能する**」といった意味で使えばいいのです。名詞なら「**作業**」――社会人なら「**仕事**」や「**任務**」に、そして学生ならば本業は「**勉強**」という意味に。 homework（宿題）なんて、まさにそうですね。

「英語脳」になるフレーズ20

① I like my **work**.
自分の仕事を気に入っています。

② Get back to **work**, guys.
君たち、仕事に戻りなさい。

> 単なる「仕事」だけでなく、「(中断していた) 作業」「やるべきこと」といったニュアンスでも使えます。

③ I'm **off work** today.
今日は仕事は休みです。

④ I fell out of **work**.
仕事を失いました。

⑤ This is **a fabulous work** of his.
これは彼の傑作です。

⑥ He finished **a work of art**.
彼は芸術作品を仕上げました。

⑦ I **worked** my way through hardships.
(あるべき方向へ進む→) 困難を乗り越えて進んできた。

⑧ Who are you **working** with?
誰と働いているのですか？

⑨ I'm **working** for this company.
この会社で働いています。

⑩ He is **working** on a farm.
彼は農場で働いている。

work

⑪ I **set** him **to work** on invitation letters.
彼に招待状作りの作業をさせている。

⑫ I had it all **worked out**.
すべて計画済みです。(作業が済んでいる)

⑬ How do you **work** this machine?
この機械はどうやって動かすの?

⑭ This machine **works** by electricity.
この機械は電気で動く。

⑮ Is the sales promotion **working** as planned?
販促は計画通り進んでいるの?

⑯ This remote control **is not working**.
(機能していない→) このリモコン壊れてる。

⑰ Let's see **your work**.
(仕事ぶりを見る→) お手並み拝見。

> 直訳すれば「あなたの仕事」。転じて「仕事ぶり」、そこから広がって「お手並み」の意味に。

⑱ Let's **work on** this problem.
この問題を考えてみよう。(解くべく)

⑲ She is **a working mother**.
彼女は働く母親です。

⑳ All **work** and no play makes Jack a dull boy.
(勉強ばかりで遊ばないジャックは役立たずに育つ) よく遊びよく学べ。

04 leave
=置き去りにする

> **Leave it to me!**
> 私に任せて！（それを私に置き去りにして）

leave――「英語脳」になってみよう！

人やモノが「離れていく」――もっと言えば「**置き去りにする**」が leave のイメージ。学校では「去る」と習ったでしょうが、このイメージが leave を使いこなすコツです。

The train leaves at 10 o'clock.（電車が10時に出発します）

電車がこの場を「置き去り」にするんですね。

Is he leaving the company?（彼は会社を辞めるの？）

会社を置き去りにする、すなわち**会社を辞める**ことを意味します。いなくなると言えば、子どもが成人すると、

All my children have left home.
（すべての子どもたちが出て行きました）

となります。**実家や両親を置き去りにする**ってことです

ね。あるいは、**モノを置き去りにする**とこんな具合に。

I left my car key at the office.（会社に車のカギを忘れた）

　会社にカギを置き去りにしてしまった。うっかりの場合には「**置き忘れる**」という意味になりますし、意図的に置き去りにすると、

I left a message on your desk.（メモを残しておきました）

　このように「**残す**」という意味合いになります。

「すぐ使える！ すぐ話せる！」コツ

　いずれにしても、leave は何かをそこに置いて離れていく感覚。だから、**そこには「何か」が残る**んです。

You only have an hour left to catch the flight.

（フライトまでたった1時間しか残されていない）

　残された1時間を持っているというニュアンスです。

Please leave me alone.（放っておいて）

「私を置き去りにして」、すなわち**放っておく**。これも日常的によく使われる表現です。では、次はどうでしょう？

Who left the TV on?（誰がつけっぱなしにしたの？）

　テレビをオンの状態で置き去りにする、ということです。

ただ「去る」のではなく、「置き去りにする」——このイメージで leave をとらえると、よくわかるでしょう？

「英語脳」になるフレーズ20

① He has **left** for work.
（仕事に向かい離れた→）仕事に出かけました。

② I'm **leaving** Las Vegas.
ラスベガスを後にします。

③ The shuttle bus **leaves** every 10 minutes.
シャトルバスは10分おきに出発します。

④ Where are you **leaving for**?
どこにお出かけですか？

⑤ Why did you **leave** school before finishing it?
なぜ途中で学校を辞めてしまったの？

⑥ We will never **leave** you.
あなたを見捨てない。（置き去りにしない）

⑦ We just **left** the bookstore on my left.
（左手に置き去る→）左手に本屋を通りすぎました。

⑧ **Leave** the report on my desk.
報告書は私のデスクに置いておくように。

⑨ **Leave** it to me. I'll fix it.
僕に任せて。直しておくよ。

⑩ He **left the office** at 6.
彼は6時に退社しました。

> leave the officeだと「仕事をする場を去る＝退社する」。leave the companyだと「会社そのものを去る＝退職する」というわけです。

leave

⑪ A lot of food was **left** over from the party.
パーティのあとにたくさんの食べものが残った。

⑫ I'll **leave** it to you where we go.
どこへ行くかはあなたに任せます。

⑬ Don't **leave** your car unlocked.
ロックせずに車を離れるな。

⑭ 7 minus 3 **leaves** 4.
7引く3は4（を残す）。

> モノの場合はforget（忘れる）よりleaveを使ったほうがネイティブっぽくなります。

⑮ We had **no** food **left**.
食べものが残っていません。

⑯ Didn't you **leave** your jacket at my place?
ジャケットを私のところに忘れてない？

⑰ I feel **left out**.
仲間はずれにされているように感じる。

⑱ Take it or **leave it**.
やるかやらないか。（ある選択肢を取るか、そのまま置き去りにするか）

⑲ I'll **leave** this book for you to read.
あなたが読めるようにこの本を置いておくね。

⑳ Don't get **left** behind.
（うしろに置き去られる→）とり残されないでね。

05 group
=まとめる

> I think that these should be grouped under a separate category.
> これらは別のカテゴリーに分類すべきだと思います。

group——「英語脳」になってみよう！

group はすでに日本語としてもおなじみ。「**集団=グループ**」を表わす場合は、日本語に訳す必要がないくらいです。

ただ英語脳を作るなら、「**まとめる**」というイメージ。バラバラになっているものを一箇所にまとめるのも group なら、さらに色別、種類別にまとめる=分類するのも group。だから両方の意味を合わせて「**まとめる**」と覚えるのがもっとも効率的なのです。

たとえばこんなふうに使うんですよ。

The teacher grouped the children according to their ability.（先生は生徒を能力別に分けた）

シンプルな意味を持つ、よく目にする単語の１つです。

「英語脳」になるフレーズ10

① There is **a group** of buildings by the lake.
湖のそばにビルの一群がある。

② **A group of protesters** gathered outside City Hall.
ある抗議団体が市役所の外に集まった。

③ I belong to **a group** that likes to talk about sports.
僕はスポーツについて話すことの好きなグループに属している。

④ The candidate has a large **group** of supporters.
この候補者には大きな支援者のグループがある。

⑤ That is my favorite **group**; I love their songs!
これ大好きなバンド。曲がいいんだ！

⑥ These elements belong to the same **group**.
これらの元素は同じグループに属する。

⑦ Let's divide the staff into **groups** of five.
スタッフを5人ずつのグループに分けましょう。

⑧ The manager **grouped** the workers by ability.
部長は能力別に従業員をグループ分けした。

⑨ She **grouped** all of the reports together according to year.
彼女は年別に報告書を集めた。

⑩ The workers began to **group** in the conference room.
従業員たちは会議室に集まりはじめた。

06 like
=すごく近く

> I like sports such as tennis and swimming.
> テニスや水泳のようなスポーツが好きです。

like——「英語脳」になってみよう！

like を辞書で引くと、2つの意味に分かれて載っています。1つは「好む」、もう1つは「似ている」。

でも英語脳で考えれば、分ける必要はありません。いっぺんに感覚を身につけていきますよ。like の感覚を言ってみれば「**すごく近くにいる**」というイメージです。

まずは感情が「**すごく近くにいる**」——すなわち「**好む**」という意味からいきましょう。

I like to cook Japanese food.（和食を作るのが好き）

これはとくに問題ありませんね。簡単です。でも、ちょっと下の文と見くらべてください。

I like to cook on Sundays.（日曜には料理をする）

これは「私は日曜日に料理をするのが好き」ということ。日曜日に料理をするという行為が「すごく近くにいる（ある）」——すなわち、そういう**習慣がある**のです。

同じく「好き」でも、こんなふうに使うこともあります。

I'd like you to give me a hand.（手を貸して）

「あなたが私に手を貸すのが好き」→「手を貸してほしい」ということです。

「すぐ使える！ すぐ話せる！」コツ

次に「似ている」という意味ですが、これも見た目などが**「すごく近い」とイメージすればいい**のです。

You sleep like a log.（丸太のように寝ますね）

寝ているあなたの姿は、丸太に「すごく近い」、つまり「〜のように」「似ている」と訳せます。次も同じです。

Like father, like son.（この父にしてこの子あり）

「親の近く、子の近く」。子が親に似るのは当然です。

このように、like は「好き」とだけ覚えていると、意味がわからない文に出合うことが多くなってしまう単語。

でも、**「好き」も含めて「すごく近くにいる」**とイメージしていれば、とたんに理解が深まり、ひいては幅広く使えるようになるのです。

「英語脳」になるフレーズ20

① I **like** comic books.
私はマンガ本が好きです。

② I **don't like** coffee much.
コーヒーはあまり好きではありません。

③ I'm not yet **liking** living in this town.
私はこの街に住むのを気に入っていません。

④ I **like** wine but it **doesn't like** me.
私はワインが好き、でも身体に合わない。（ワインが私を嫌う）

⑤ I **like to walk my dog** every morning.
毎朝犬を散歩に連れて行くことにしている。

⑥ I'd **like to help** you.
あなたを助けたい。

⑦ I **don't like** to get a shot.
注射されたくない。

⑧ It **sounds like** you are having a problem.
問題が起きているようですが。

> 直訳すれば「あなたが問題を持っているような音がする」。困った事態になってザワついている感じですね。

⑨ What do you **like** to drink?
お飲みものは何がよろしいですか？

⑩ Your suitcase is just **like** mine.
あなたのスーツケースは私のとそっくり。

like

⑪ Do as you **like**.
お気に召すまま。

⑫ Just **like that**?
こんなふうに？

⑬ I **like** it here.
ここが好きです。

⑭ It's **not like you** to say such things.
そんなこと言うなんてあなたらしくないよ。

> 「not like you＝あなたのようではない」。だから「あなたらしくない」ということ。

⑮ Let's see **what it looks like**.
どんな具合か見てみよう。

⑯ I **like** working with you.
君と一緒に仕事するのが好きだ。

⑰ I **don't like** working with him.
彼と仕事するのが好きではない。

⑱ **Like** I said before, we can't make the deadline.
前にも言ったように、その締切りには間に合わない。

⑲ He looks **like** an intelligent man.
彼は知的な人のようだ。

⑳ I'd **like** to go now.
そろそろ行きたいんだけど。

07 picture
＝像を思い描く

> **Can you picture that?**
> そんなこと想像できるかい？
> （像を思い描けるかい？）

picture──「英語脳」になってみよう！

picture は「絵」「写真」。たしかにそうなのですが、「**像を描く**」とイメージするのが正解。

Let's take a picture.（写真を撮りましょう）

He drew a picture of her.（彼は彼女の絵を描いた）

ここまでは「写真」「絵」。でも、こうなると？

Do you get the picture?（全体像を把握してる？）

その絵をもらった？……ではありません。**事態の全体像を頭の中に思い描けているの？** と聞いているのです。

このように「**状態**」を１枚の絵になぞらえた言い回しもあるので、picture は「**像を思い描く**」とイメージしたほうが理解しやすいというわけです。

「英語脳」になるフレーズ10

① Take a look at this **picture**.
この写真を見てください。

② **A picture** is worth a thousand words.
百聞は一見にしかず。(写真は千の言葉に値する)

③ Let me explain **the big picture**.
大局を説明しましょう。

④ Do I need to paint you **a picture**?
全体像を説明してあげましょうか？(絵を描く→説明する)

⑤ Their little daughter is as pretty as **a picture**.
彼らの娘は描かれた絵のように可愛い。

⑥ In the drawing, she **pictured** a perfect sunset.
彼女はスケッチで完璧な日没を描いた。

⑦ He **pictured** her in a wedding dress.
彼は花嫁衣装姿の彼女を想像した。

⑧ She couldn't **picture** herself with him at all.
彼女は彼と一緒にいる自分を想像できなかった。

⑨ His writing **pictured** the scene perfectly.
彼の文章はその状況をありありと描き出した。

⑩ His writing **pictured** the Northwest with great accuracy.
彼の本は北西部のあり様を正確に描写していた。

08 too
=折り重なる

> You, too, are too kind.
> あなたも親切すぎます。

too──「英語脳」になってみよう！

too には、「〜も」と「〜すぎる」という意味の2つがありますが、別々に覚えることはありません。どちらも**「折り重なる」**イメージで考えればいいのです。

He is handsome, and wealthy, too. （彼はハンサムで裕福）

「ハンサム」と「裕福」が**「折り重なって」**いるわけです。うらやましい限りですね。一方、「〜すぎる」のほうは、**1つの状態が幾重にも「折り重なっている」**イメージです。

She was too sick to go to work.

（彼女は具合が悪すぎて仕事に行けなかった）

つまり「具合が悪い状態」が二重にも三重にも「折り重なって」いた、だから仕事に行けなかったという感じです。

「英語脳」になるフレーズ10

① She wanted to go, **too**.
彼女も行きたがった。

② And then he, **too**, fell from the boat.
そして、彼もボートから落ちた。

③ He is **too short** to play professional basketball.
彼はプロバスケ選手になるには背が低すぎる。

④ That is way **too much** sugar!
それじゃ砂糖が多すぎる！

⑤ I'm sorry, but that's going **too far**!
申し訳ないが、その話は行きすぎです。

⑥ I guess I spoke **too soon**.
少し早合点したようです。

⑦ Don't **get too near** the fire, or you'll get burned.
火に近づきすぎるな。やけどするよ。

⑧ He **wasn't too nice** to me.
彼はあまり親切ではなかった。

⑨ She **was not too pleased** with her purchase.
彼女は買ったものにあまり満足していなかった。

⑩ She was only **too glad** to be there for him.
彼女は彼のためにそこにいられることを喜んでいただけだ。

09 hear
＝耳に入る

> **Hear me out!**
> 最後まで聞いてくれよ！（話の出口まで）

hear──「英語脳」になってみよう！

hear は「聞こえる」「耳にする」など。意志をもって聞くのではなく、音や情報が**「自然と耳に入る」**感じ。

Did you hear the good news?（グッドニュース聞いた？）

情報が耳に入ったかどうかをたずねています。

Sorry to hear that.（お気の毒です）

これは、**悪い知らせを耳にしたときのお決まり表現**。

They didn't hear anything I said.（話に耳を貸さなかった）

僕の話が**彼らの耳には入っていかなかった**のですね。

I hear you.（わかってるよ）

こうなると、「**はいはい、聞こえてますよ（だからもう言わないで）**」というニュアンスになります。

「英語脳」になるフレーズ10

① Can you **hear** me now?
聞こえる？

② Did you **hear** that strange sound?
あの奇妙な音聞こえた？

③ I **heard** the wind howling through the trees.
木々の間を通って風がひゅーひゅー鳴っているのが聞こえた。

④ You could have **heard** a pin drop.
ピンが落ちるのが聞こえるほど（静か）だった。

⑤ I **heard** that you are quitting your job.
君が会社を辞めるって聞いたけど。

⑥ I **heard** it through the grapevine.
僕はそれを噂で聞いた。

⑦ I haven't **heard** from her in a long time.
長い間、彼女からは何の音沙汰もない。

⑧ I think this time he finally **heard** me.
ついに彼は僕の言うことに耳を貸したようだ。

⑨ You're never going to **hear** the end of it.
君はいつもそのことを聞かされるだろうね。

⑩ My boss won't **hear** of me taking a day off.
ボスは私が休日を取ることを許さないだろう。

10 ask
＝お伺いを立てる

> I'll ask her out tonight.
> 今晩彼女をデートに誘おう。

ask――「英語脳」になってみよう！

ask は「尋ねる」。ですが、ただ質問を投げかけるというよりは、「**お伺いを立てる**」イメージ。たとえば……、

May I ask you your name?（お名前を伺えますか？）

「名前を尋ねてもいいか？」とお伺いを立てているのです。

そして、人生の一大イベントといえば、これ。

He finally asked her to marry him.（結婚を申し込んだ）

彼女に結婚のお伺いを立てたわけですね。

Can I ask you a favor?（お願いを言ってもいい？）

人に何かを「お願いする」ときも、ask です。やっぱり「お伺いを立てる」イメージがしっくりきますね。

「英語脳」になるフレーズ10

① Go **ask** him the price.
彼に値段を聞いてみなさい。

② Don't **ask** me questions.
私に質問しないでください。

③ Why don't you **ask** where they are going?
どこへ行くのか彼らに聞いてみたら？

④ Are you **asking me** to come to the party?
パーティに誘っているの？

⑤ I was **asked to come** at once.
すぐに来るように言われた。

⑥ Just **ask** him to do it.
彼に頼んでみたら。

⑦ Haven't I **asked** you to put the garbage out?
ゴミを出すように頼んでおいたでしょう？

⑧ He is **asking** his parents **for** money.
彼は両親に金の無心をしている。

⑨ You are **asking too much** of me.
私に期待しすぎです。

⑩ You **asked for it**.
自業自得です。

「あなたがお伺いを立てたこと」→「依頼したこと」→「招いたこと」＝「自業自得でしょ！」というわけ。

11 play

=自分を楽しませる

> Don't get mad;
> I was just playing.
> 怒らないでよ。ちょっとふざけただけだよ。

play──「英語脳」になってみよう！

play は「遊ぶ」「演じる」「奏でる」「興じる」……でも、すべてに共通しているのは、「**自分を楽しませる**」というイメージ。この感覚さえつかんでおけば、たくさんの訳を丸暗記しなくても、英語がわかるようになりますよ。

He played with his toy truck.

（彼はオモチャのトラックで遊んだ）

自分を楽しませる＝これはそのまま「**遊ぶ**」の意味。

The children were playing house.

（子どもたちはままごとに興じていた）

こちらも「**楽しむ**」というそのままの意味。

ままごとでは、大人になりきるわけですね。そのつなが

りで言うと……、

She played the part of Juliet.

(彼女はジュリエット役を演じた)

「**演じる**」という意味になります。

「すぐ使える！ すぐ話せる！」コツ

さらに同じ「演じる」でも、日常生活で演じると……、

He always played the fool. (彼はつねに道化を装った)

バカを演じる＝おどけていたんです。

楽器やスポーツで**自分を楽しませる**こともできますね。

I play the guitar in my band.

(私はバンドでギターを弾いています)

I played soccer when I was a kid.

(子どものころはサッカーをした)

さらに、名詞として使うと、劇、試合、試合での**プレイ**などの意味になります。

The play was written by Shakespeare.

(その劇はシェークスピアが書いた)

play の「**自分を楽しませる**」イメージ、何となくつかめましたか？

「英語脳」になるフレーズ20

① She likes to **play** with her new doll.
彼女は新しい人形で遊ぶのが好きだ。

② He liked to **play doctor** as a child.
彼は子どものころ、お医者さんごっこが好きだった。

③ Which character would you like to **play**?
どの役を演じたいですか？

④ It's not right **to play God**.
（神のように→）尊大に振る舞ってはいけない。

⑤ I decided to **play along with** my sister for the moment.
姉とは当面、うまくやっていくことにした。

⑥ She always **plays down** her contributions to the project.
いつも自分の功績を控えめに（下のほうに）見る。

⑦ Do you **play** any musical instruments?
何か楽器は演奏するの？

⑧ I **played** "Let It Be" on the piano.
ピアノで"Let It Be"を演奏しました。

⑨ I **played** classical music at the concert.
コンサートでクラッシックを演奏しました。

⑩ Stop it! You **play too much**!
やめなさい！　ふざけすぎです。

play

⑪ We **played** a board game last night.
昨晩、ボードゲームに興じた。

⑫ The boys **played** a game of baseball.
男の子たちが野球の試合をした。

⑬ By the end of the day, I was all **played out**.
1日の終わりには疲れ果てていた（楽しみ果てた）。

⑭ Quit **playing games** with me, and just tell me the truth.
お遊び（現実でないゲーム）はやめて本当のことを言って。

⑮ I **played my highest card**.
（最強カードでゲームした→）切り札を切った。

⑯ If I **play my cards right**, then things will work out just fine.
正しくやればうまくいく。

⑰ I'm not sure what we'll do, so we'll just **play it by ear**.
どうするか分からない、ぶっつけ本番（耳覚えで演奏する）だ。

⑱ After dinner we went to a **play**.
夕食後に劇へ行った。

⑲ We admired his **fine play** throughout the game.
ゲーム中の彼のファインプレイの数々を賞賛した。

⑳ That was a **great play**! It won us the game!
すごいプレイだった！　おかげで試合に勝てたぞ！

12 use

=使いこなす

> Use this knife for cutting.
> このナイフを使いなさい。

use——「英語脳」になってみよう！

use は「使う」。「**道具を使いこなす**」イメージです。といっても、ナイフやハサミだけが道具ではありません。

たとえばこんなふうに……、

I use the train to go to work.（私は電車で通勤します）

乗り物みたいな大きなモノだって、**通勤に欠かせない**「**道具**」というわけです。または、

Use your brain!（頭を使え！）

そう、頭脳だって1つの道具です。

日本語では「借りる」と言う、こんなモノも……、

Can I use your bathroom?（トイレを使ってもいいですか？）

「自然の要求」を解決するための「**道具**」なのです。

このように、use はじつに**あらゆる道具を**「**使いこなす**」んです。

「すぐ使える！ すぐ話せる！」コツ

ここでちょっと、学校で習った慣用句を思い出してみましょうか。

use を使った慣用句といえば、「be used to +（動）名詞」（慣れる）と「used to +動詞」（〜する習慣があった）がありました。

どちらも、動詞の use とは別モノとして丸覚えさせられたため、むずかしい印象を抱きがちです。

でも、この２つも **use＝「使いこなす」**とまったく同じに考えればいいのです。だって、「**使いこなす**」ということは、「**慣れている**」**ということでもある**のですから。

I'm used to chopsticks.（はしには慣れている）

これは、「**慣らされた状態になる**」ということ。次は、

I used to play tennis.（昔はテニスをしたものです）

「**慣れていた**」、つまり「**習慣になっていた**」ということ。

使っているうちにどんどん慣れて、使い込んだら習慣になっていた——そう、まるで**手になじんだ道具**みたいにイメージすればカンタンだと思いませんか？

「英語脳」になるフレーズ20

① I've come to **use** reading glasses recently.
最近、老眼鏡を使うようになりました。

② May I **use** your pen?
あなたのペンを借りてもよいですか？

③ Japanese vehicles don't **use** a lot of gas.
日本車はあまりガソリンを消費しません。

④ I guess I **used up** all my luck.
どうやらすべての運を使い果たしたようだ。

⑤ Please **use** our bulletin board for any questions.
ご質問の際には私どもの掲示板をご利用ください。

⑥ I **used to go** camping a lot.
かつては、よくキャンプに行ったものだ。

⑦ Let's **use** his idea for now.
今のところは彼の案を採用しておこう。

⑧ I **use** aspirin every once in a while.
たまにアスピリンを使います。

⑨ **Stop using** cigarettes so much.
そんなにたばこを吸うのは止めなさい。

⑩ I'm **not used** to pain.
痛みには慣れていません。

use

⑪ **Did you get used** to typing in hiragana?
かな入力には慣れましたか？

⑫ This lounge is **for the use of employees only**.
このラウンジは従業員用です。

⑬ What's **the use of that box**?
その箱の使い道は何ですか？

⑭ It's **no use**.
これ使えない！

> 「use＝使いこなす」にnoがついて「使いものにならない」——単純明快、わかりやすいですね。

⑮ This well is **out of use**.
この井戸はもう使われていません。

⑯ He **used to go** to church every Sunday.
彼はかつて、毎週日曜日に教会に通っていた。

⑰ That is the **proper use of spare time**.
それは余暇の正しい使用法ですね。

⑱ He is not as handsome **as he used to be**.
彼は昔ほどハンサムでない。

⑲ I bought **a used car**.
中古車を買った。

⑳ This program is easy to **use**.
このプログラムは使いやすい。

13 but
＝反対同士をつなぐ

> I'm sorry but could you repeat that again?
> 申し訳ありませんが、もう一度繰り返してもらえますか？

but──「英語脳」になってみよう！

but は**反対のモノ同士をつなげてくれる**単語です。

たとえば、たびたび耳にするこんなフレーズ……、

Excuse me, but do you have the time?

（すみませんが、今何時ですか？）

なぜ but が入るかわかりますか？　「**すみません**」という「**おわび**」と「**時間を教えて**」という「**お願い**」をつなげているのです。

He is young but smart.（彼は若いが賢い）

ここでも、「**若さ**」と「**賢さ**」をつないでいるのです。

「でも」「だが」と覚えるより、このほうがずっといきいきと、but を使いこなせる気がしませんか？

「英語脳」になるフレーズ10

① It never rains **but** it pours.
（雨は降りません、が反して降れば土砂降りとなります）降れば土砂降り。

② Sorry I didn't come last night **but** I was too tired.
昨晩は行けなくて申し訳ない。でも疲れていたんだ。

③ The guy is short **but** he can run fast.
この男は背は低いが速く走れる。

④ I have a cell phone on me **but** the battery is dead.
携帯を持っているが、電池切れだ。

⑤ He believes in nothing **but money**.
彼はお金以外何も信じない。

⑥ I can't say **but you're right**.
君が正しいとしか言えない。

⑦ She drinks nothing **but soda pop**.
彼女は炭酸飲料しか飲まない。

⑧ You trust no one **but me**.
私だけを信じなさい。

⑨ He does nothing **but sleep**.
彼は眠ってばかりだ。

⑩ She is **but a child**.
彼女はただの子どもだ。

> nothing but〜、no one but〜は「〜しか」「〜だけ」を強調した表現。⑥、⑩のようにbutの前が省かれる場合も。日本語で「〜以外の何ものでもない」と言うのと同じニュアンスです。

14 begin
＝とりあえず始める

> Let's begin!
> さあ、始めよう！

begin──「英語脳」になってみよう！

begin は「始める」。start も同じような意味ですが、start が動きを示す一方、**begin は時間の流れ**を示します。「スタートライン」と言うように、start は何がどこから始まるのかが比較的明らかで、動きが速いニュアンスです。が、begin はゆるゆると、**何もないところから始まる**感じ。

His mystery novels always begin with a murder.
（彼の小説はいつも殺人から始まる）

このように、物語が始まるときなどに使います。

I finally began to see the light.
（彼はようやくわかりはじめた）

ついに明かりが見え始めた→理解が始まったのです。

「英語脳」になるフレーズ10

① The day **began** normally enough.
その日はごく普通に始まりました。

② She **began** by introducing herself.
彼女は自己紹介から始めた。

③ We've **only just begun**.
まだ始めたばかりです。

④ **To begin with**, I don't have enough money.
第一に、私には十分なお金がない。

⑤ I cannot even **begin to imagine** your frustration.
あなたのいらだちを想像することもできません。

⑥ The custom **began** a long time ago.
その風習はずいぶん昔に始まりました。

⑦ Mr. Aaron's name almost always **begins the list**.
アーロンさんの名は大抵リストの最初に来る。

⑧ Why didn't you tell me **to begin with**?
なぜ最初に（＝始めるときに）言ってくれなかったの？

⑨ Charity **begins** at home.
思いやりはまずわが家から。

⑩ The test is about to **begin**.
テストが始まるところです。

15 hand

=せっせと働く手

> Here, let me give you a hand with that.
> ほら、手を貸しましょう。

hand──「英語脳」になってみよう!

hand は「手」──ですが、「**せっせと働く手**」のイメージで覚えると、ニュアンスがより正確につかめます。

You must have your hands full with that little one.
(おちびちゃんがいるから、手一杯の状態に違いない)

家事や仕事をするための**手が埋まっている**んですね。まさにせっせと働く手。

手が埋まっているといえば、

My hands are tied right now. (今は両手がふさがっている)

私の手は現在縛られている──**ほかのことに手が回らないこと**を、こんなふうにも表現できます。

「せっせと働く手」はいろんなことができる便利な道具。

I'd like to try my hand at that.（それ、やってみたい）

　実際には、文字どおりに「手」を使わないことでも大丈夫。**何かを試しにやりたいとき**はこの表現をどうぞ。

We are short of hands at the moment.（目下、人手不足）

　これも実際の手ではありませんが、**手の不足＝人手が足りない**ということですね。

「すぐ使える！ すぐ話せる！」コツ

　では、次はどうでしょう？

Well done! Give him a hand!（よくやった、拍手をどうぞ！）

「**拍手**」も手でせっせとすることの１つですね。それにしても、「手を与える」——それが「拍手」になるのですから、何とも英語は大胆な言葉です。

She handed in her assignment to her teacher.
（彼女は先生に宿題を提出した）

　この場合は、「**モノを手渡しする**」の意味。「**せっせと働く手**」——hand は動詞としても使えるのです。

　最後におもしろい例を。

　幼児言葉では、時計の針を the short hand（短針）、the long hand（長針）と呼ぶんですよ。

「英語脳」になるフレーズ20

① The student knew the answer so he raised his **hand**.
その生徒は答えを知っていたので手を挙げた。

② His **hands and feet** were very cold.
彼の手足はとても冷えていた。

③ The couple held **hands** as they walked through the park.
カップルは手を繋いで公園を歩いた。

④ Do you happen to have **any cash on hand**?
ひょっとして現金持ってる?

> cash on hand で「手持ちのお金ある?」という意味に。

⑤ Many **hands** make quick work.
人手があれば仕事が早い。

⑥ You should always have a first aid kit **at hand**.
いつも救急箱を手元に置いておくべきです。

⑦ Will you **give me a hand** with this suitcase?
このスーツケース持ってくれる?

⑧ You deserve **a big hand** for that.
盛大な拍手に値しますよ。

⑨ You can't **turn back the hands of time**.
時計の針を戻すことはできません。

⑩ Your future is in your **own hands**.
あなたの未来はあなた自身の手にある。

hand

⑪ This party is **getting out of hand**.
パーティーは大騒ぎになった（手から離れる）。

⑫ He had **a good hand** to bet on.
彼はよい手をもっている。

> 手持ちのカードを「手」というのは、日本語も英語も同じなんですね。

⑬ **All hands** on deck!
全員デッキに集合！

⑭ Are you **left-handed** or **right-handed**?
あなたは左利き？　右利き？

⑮ Now on your **left hand side**, you can see Mt. Fuji.
左手には富士山が見えます。

⑯ The manager asked him **to hand out** the documents.
部長が書類を配るように彼に頼んだ。

⑰ There were lots of people **handing out** flyers.
大勢がチラシを配っていた。

⑱ Could you **hand** me the telephone, please?
電話を渡してください。

⑲ The jury **handed down** a verdict of not guilty.
陪審員は無罪の判決をくだした。

⑳ The dress had been **handed down** from her great grandmother. そのドレスは代々受け継がれてきたものだ。

16 when
=ピッタリのタイミング

> **Say when!**
> ころ合いを言ってね。
> （いつがちょうどいいか言って）

when──「英語脳」になってみよう！

whenは「**ピッタリのタイミング**」というイメージ。

When is your birthday?（お誕生日はいつですか？）

これは学校で習ったとおりの「いつ？」で通じますが、要は「**生まれた**タイミング」を問うているわけですね。では、そのwhenのイメージのまま、次の例文をどうぞ。

I'll tell you when the time comes.（時が来たら教えます）

Please give him this note when he comes.
（彼が来たらこのメモを渡してください）

どちらも「**時が来る**」「**彼が来る**」タイミングを指しているのです。文法的に考えると面倒なのですが、イメージ1つで、いとも簡単に使えるようになるのです。

「英語脳」になるフレーズ10

① **When** did you wake up?
いつ目が覚めた？

② **When** will you learn to act politely?
いつになったら礼儀正しく振る舞うようになるの？

③ He never knows **when to stop**.
彼はやめどきを知らない。

④ The time shall come **when you'll thank me**.
私に感謝する日がやってくるでしょう。

⑤ I was just about to leave **when** the rain started to fall.
まさに出かけようとしたとき雨が降り始めた。

⑥ It wasn't snowing **when** we left.
出かけたときには雪は降っていませんでした。

⑦ You have to be quiet **when** you're taking a test.
テストを受けている最中は静かにしなさい。

⑧ He was a skinny man **when** I first met him.
はじめて会ったころ、彼はやせていました。

⑨ **Since when** did you start smoking?
いつからたばこを吸うようになったの？

⑩ Tell me **when** and where to meet you.
いつどこであなたに会えばいいか、教えて。

17 as
=ピントを合わせる

Do as you're told.
言われたとおりにしなさい。

as——「英語脳」になってみよう！

as は、会話でとても頻繁に登場する単語。「人やものの状況」を正確に伝えたいときには本当に便利な言葉です。

そう。as の役割は「**ピントを合わせる**」こと。たとえばこんな感じです。

I'm working as an SE for this company.
（この会社でSEとして働いている）

これは「～として」の意味ですが、「as ～」で職種に**ピントを合わせて**います。次も同様に考えられます。

Do as you wish.（好きなようにしなさい）

「しなさい」→どんなふうにかというと、「あなたの望むように」。つまり**どうしたらいいかにピントを合わせてい**

るわけですね。次も同じ。

I like Japanese food such as sushi and sashimi.

（私は寿司や刺身のような日本食が好き）

「such as 〜」と丸覚えした人も多いと思いますが、これも「as 〜」で**特定の日本食にピントを合わせています。**

「すぐ使える！ すぐ話せる！」コツ

学校で習った「as 〜 as」構文も、「as＝ピントを合わせる」とイメージすれば簡単ですよ。

Eat as much as you want.（好きなだけ食べなさい）

ただ「食べなさい」と言うのではなく、「好きなだけ」。いわば、**相手の食べる分量にピントを合わせている**のです。そう考えれば、次も簡単。

I can run as fast as you can.（君と同じくらい速く走れる）

「as 〜 as」で、「**どのくらい速く走れるか**」にピントを合わせているわけです。

「〜のようなときに○○した」という具合に、**人の行動にピントを合わせる**ことも可能です。こんな使い方がそう。

I wrote an email as I waited for him at the lounge.

（ラウンジで彼を待つあいだにメールを書いた）

as は人の行動をも、正確に説明してくれるのです。

「英語脳」になるフレーズ20

① I've never seen a book **as thick as this one**.
これほど分厚い本を見たことがない。

② When in Rome, do **as the Romans do**.
(ローマではローマ人がするようにしろ＝) 郷に入っては郷に従え。

③ He is only a child. Treat him **as such**.
彼はまだ子どもだ。そのように扱いなさい。

④ She always wanted to live in a city, **such as New York**.
彼女はNYのような都市に住みたがっていた。

⑤ **As you overslept**, we couldn't make it in time.
あなたが寝坊したから、時間に間に合わなかった。

⑥ **As of now**, it's not raining.
今のところ雨は降っていない。

⑦ I take it **as a no**.
Noだと理解します。

⑧ I'll take it **as it is**.
そのままの状態でいいですよ。

> 中古品を買うときなどに、キズなどがあっても、「それのあるがまま」でOKというニュアンス。

⑨ We'll make it just **as you like**.
お客様の望むように、いかようにもお作りしますよ。

⑩ **As they grow older**, men become wiser.
歳を取るにつれて人は賢くなる。

as

⑪ It started raining **as I walked toward the station**.
駅へ向かっていると雨が降り出した。

⑫ The air got thinner and thinner **as we climbed up**.
登るにつれて、空気は薄くなった。

⑬ I've never seen **such things as aliens**.
エイリアン(のようなもの)なんて見たことがない。

⑭ I had to pay **twice as much**.
2倍(と同じくらい)払わねばならなかった。

⑮ I'm about the same height **as my brother**.
私は兄と同じくらいの身長です。

⑯ I take pictures **as I take a walk**.
散歩をしながら写真を撮ります。

⑰ Our hearts beat **as one**.
2人の心が一緒に鳴る。

> 直訳すれば「1つのものとして鳴る」。なかなかロマンチックな表現ですね。

⑱ **As a child**, he was very shy.
子どものころ、彼は恥ずかしがり屋だった。

⑲ **As far as I'm concerned**, it's OK.
私に関する限り(範囲において)、OKです。

⑳ **As a friend**, I have to give you some advice.
友人として、忠告せねばなるまい。

18 try
=試しにやってみる

> You'll never know till you try.
> やってみなけりゃわからない。

try──「英語脳」になってみよう！

try は、日本語で「トライする」というせいか、「挑戦する」の意味にとらえられがちですが、じつはそこまで積極的なイメージではありません。いわば「**試しにやってみる**」という程度。

Do you want to try this new recipe?

(新しいレシピを試してみたい？)

「**試しに作ってみる？**」と気軽にすすめています。

I want to try it on. (似合うか試してみたい＝試着する)

これも「**ちょっと着てみようかな**」というニュアンスです。

やるか、やらないか──**だったらやってみたら？** と、try は、ポンと背中を押してくれるような単語なのです。

「英語脳」になるフレーズ10

① Just **try** me.
　言ってみてよ。(言いづらそうにしている人に向かって)

② She always **tries her hardest** to meet her deadlines.
　彼女は締切りに間に合わせるのにつねにベストをつくす。

③ Why don't you **try** doing it a different way?
　別の方法で試してみれば?

④ I want to **try some other career**.
　ほかの職業をやってみたい。

⑤ He likes **to try** reading new authors.
　彼は新しい作家の本を読んでみるのが好きなんだ。

⑥ **Try** this mattress and let me know what you think.
　このマットレスの寝心地を試して、感想を教えて。

⑦ You are **trying my patience**, young man!
　堪忍袋の緒が切れそうだ!

⑧ **Try** all of the doors to make sure they are locked.
　ちゃんとカギがかかっているか、すべてのドアを確認して。

⑨ He **was tried** and found guilty of murder.
　彼は裁判(試される)にかけられ、殺人で有罪となった。

⑩ That was **a nice try**. Better luck next time.
　よい試みでした。次回はうまく行くといいね。

19 how
＝どれほど

How did you do that?
どうやったの？

how──「英語脳」になってみよう！

中学校では、下のような例文で how を丸暗記した人も多いのではないでしょうか？

How are you?（ご機嫌いかが？）

How many apples?（リンゴが何個？）

How far from here?（ここからの距離は？）

How did you solve the problem?

（どうやってその問題解いた？）

でも、どれも「**どれほどの状態？**」「**どれほど多く？**」「**どれほど遠く？**」「**どんな方法で？**」とイメージしていけば、丸暗記をしなくともスッと出てくるはず。

次も同じ。

You can do it how you want.（好きなようにしていいよ）

　直訳で考えれば、「あなたはしてよい、どんな方法かというと、望むように」──つまり**どんな方法でも、望むようにやってみなよ**、ということですね。

「すぐ使える！すぐ話せる！」コツ

　how を「どんな」とイメージすれば、次の文もすんなり理解できるはず。

How come she can't go with us?
（どうして彼女は一緒に行けないの？）

　どんないきさつで、彼女は来られないのか──つまり理由を聞いているのです。why でも同じ意味ですが、**how come はとてもよく使う表現**ですよ。

　また、驚きや賞賛を表わすときにも how は便利。

How cool!（わー、格好いい！）
How about that!（わー、スゴイ！）

　このように、「どれほど格好いいか」「どれほど感じるか」と言うだけで、いきいきと感情を表わせるのです。

　how さえ使いこなせるようになれば、あなたの英語はぐっと上達するはず。「how＝どれほど」と思い浮かべるだけで、英語脳がメキメキ育っていくのです。

「英語脳」になるフレーズ20

① **How** did you break your leg?
どのように足を折ったの？

② I don't know **how** you did that.
どうやってあなたがそれをできたのかわからない。

③ She can do **how she pleases**.
彼女は好きにやっていいんです。

④ **How many children** do you have?
お子さんは何人？

⑤ **How** badly do you want a new car?
どれほど強く新しい車が欲しいと思っているの？

⑥ **How** much damage was done during the flood?
洪水でどれほどの被害がありましたか？

⑦ I just want to know **how the car is**.
車がどうなったか知りたいんです。

⑧ **How's your mother**?
お母さんの具合はいかが？

⑨ **How goes it**?
調子はどう？

⑩ **How** do you like your eggs?
卵はどのように料理しますか。

> ホテルの朝食でよく聞かれること。目玉焼き（sunny-side up）、オムレツ（omelette）など、お好きなように。

how

⑪ **How** do you mean?
どういう意味?

⑫ **How** about going to a movie tonight?
今晩映画に行くのはどう?

⑬ **How** does the medicine come?
薬はどういう形状ですか?

⑭ **How** can you say such a thing?
どうしてそんなことが言えるの?

⑮ **How should I know**?
知るわけないだろう?

> 直訳すれば「どうして知っていなければならないんだ?」そう聞き返したくなるほど、まったく知るよしもないということですね。

⑯ **How so**?
どうしてそうなの?

⑰ Oh, **how** we laughed and cried together!
ずいぶん一緒に泣き笑いしたな。

⑱ **How seldom** we get the chance to be together!
一緒にいることは滅多にないよな〜!

⑲ **How strange is that**?
そいつは奇妙だね。(どんなに奇妙か)

⑳ Can you show me **how to use** this machine?
この機械の使い方を教えてもらえますか?

20 what
=どんなもの?

What's that?
それは何ですか?(どんなものですか)

what——「英語脳」になってみよう!

what と言うとまず「何?」が浮かぶかもしれませんが、英語脳で考えると「**どんなもの?**」が正解。

What is your name?(あなたの名前はどんなもの?)

What does it cost?(それのお値段はどんなもの?)

What time is it now?(現在はどんな時間ですか?)

といった具合です。このように what を「どんな?」ととらえると、**面倒だった関係代名詞もたちどころに解決!**

Please tell me what to do.(どんなことをすべき?)

Drink what you want.

(どんな飲み物でも望むものを飲みなさい)

これが、「何?」ではとらえきれない what の感覚です。

「英語脳」になるフレーズ10

① **What's** the price for this shirt?
このシャツの値段はいくらですか？

② **What's** your weight?
あなたの体重はどのくらいですか？

③ **What's** wrong with you?
（何が問題になっている？→）どうしたの？

④ **What** did you hear from him?
彼から何を聞きましたか？

⑤ **What kind of sports** do you like?
どんなスポーツが好きですか？

⑥ **What day** of the month is it today?
今日は何日ですか？

⑦ **What business** are you in?
どんなお仕事をされていますか？

⑧ Don't put off till tomorrow **what you can do today**.
今日できることを明日に延ばすな。

⑨ Let me see **what you got in your hand**.
手に持っているものを見せなさい。

⑩ Just do **what you can**.
できることをしなさい。

2章

「芋づる式」でどんどん「英語脳」になる！

21 come
=やってくる

> It's a dream come true.
> 夢が実現する。

come──「英語脳」になってみよう！

人や車などが、あちらからこちらに向かってくる様子を表わすのが come。go がこちらから「どんどん離れて行く」のに対して、come は何かのためにこちらに「**やってくる**」のです。

典型的なところでは、

Come here.（こっちに来て）

What time is the train scheduled to come?

（電車は何時に到着する予定ですか？）

など。少し変わったところでは、こんな言い方も。

The water from the flood came up to my knees.

（洪水でひざまで水に浸かってしまった）

水がひざまで「**やってきた**」のですね。では、これは？

Christmas is coming.（もうすぐクリスマス）

サンタなら目に見えますが、イベントのように目に見えないモノでも、こちらにやってきていれば come なのです。

「すぐ使える！ すぐ話せる！」コツ

イベントのほかに、事態や感情などが新しく起きたときにも come を使います。たとえば口語表現でよく使われる、

How come?（どうして？）

「それは**どのようにやってきた**（＝起きた）のか？」という意味から、「**どうして？**」「**なぜ？**」になります。

Suddenly a brilliant idea came to my mind.

（すばらしいアイデアが突然浮かんだ）

であれば、それまで見えていなかったアイデアが突然、**心にやってきて「見えた！」**という感じです。

そして最後は、ずっと続いていた状態が、新しい状態に変化したというような場合。

The quarrel finally came to an end.

（口ゲンカもついに終わりに向かった）

このように、「**こっちにやってくる**」ものはすべて come。まるでにぎやかなパレードみたいですね。

「英語脳」になるフレーズ20

① Who's **coming** to the party?
誰がパーティーに来ますか？

② He **came by** yesterday just to say hello.
昨日彼があいさつに来ましたよ。

③ Will you **come** and give me a hand?
（こっちへ来て）ちょっと手を貸してくれない？

④ I want you to **come visit me**.
私のところへ訪ねてきてください。

⑤ What time am I **supposed to come**?
私は何時に来ればよいのでしょうか？

⑥ We finally **came to an understanding**.
ついに私たちは合意に至りました。

⑦ There's **more to come**.
（もっと来ます→）これだけではありません。

⑧ They **come in big boxes**.
大きな箱に入って売られています。

⑨ Spring **has come**.
春が来た。

⑩ We are going skiing **this coming weekend**.
私たちは今週末スキーに行きます。

> this coming 〜 で「直近の」という意味になります。

come

⑪ Well, I guess **my time has come**.
どうやら年貢の納めどきのようだ。

⑫ Here **comes your turn**.
あなたの順番が来ましたよ。

⑬ This news **just came in**.
たった今ニュースが入りました。

⑭ Your shoelace **is coming loose**.
靴ひもがゆるんでいますよ。

⑮ Where did you **come from**?
ご出身はどこですか?

> 直訳すれば「どこから来たの?」ですが、「今日は=today」などの言葉がなければ出身地を聞くことになるので注意!

⑯ **Come to think of it** ...
考えてみると……。

⑰ It **came apart** all of a sudden.
突然ばらばらになりました。

⑱ What **came up**?
何がありましたか?

⑲ **Easy come**, easy go.
簡単に得たものは簡単に失いやすい。

⑳ How did you **come** by this idea?
どのようにその考えに至ったのですか?

22 go
=進んでいく

> **I have to go now.**
> もう行かないと。

go──「英語脳」になってみよう！

go は「行く」と習いましたが、なかなかひと筋縄ではいかない単語です。

Ready, go!（用意、ドン！）

これは「**行け〜！**」ということ。わかりますね。

She's gone shopping.（買い物へ行ってしまいました）

これも、「**行く**」で意味が通ります。

でも、これだとどうでしょう？

The cookies are all gone.（クッキーがなくなっちゃった）

「クッキーが全部行ってしまった」──すなわち「**もうない**」のですが、こうなると、そろそろ「行く」だけでは太刀打ちできなくなってきます。

じつは、go は「行く」ではなく「あっちに進んでいく」とイメージしたほうが、ずっと上手に使えるのです。たとえば……、

It went "boom!"（"ブーン"と鳴ったよ！）

これは、発生源から音が外に向かっている感じ。**音が「あっちへ進んでいく」**と想像すれば、しっくりきますね。

「すぐ使える！ すぐ話せる！」コツ

How's everything going?（最近、調子はどうだい？）

英語圏ではよく聞くフレーズです。これも「**進んでいく**」というイメージで、すべてはどのように「進んでいる？」ということ。仕事の進み具合や相手の近況を聞きたいときは、これでOK。

そうそう、ファストフード店で必ず聞かれるのは、

For here, or to go.

（こちらでお召し上がりですか、お持ち帰りですか）

こんなふうに、go は「あっちへ進んでいく」というイメージ。**人、モノ、状況……と、いろいろなものが離れていったり、進んでいったりする**のです。

「英語脳」になるフレーズ20

① **Let's go crazy**.
楽しみましょう！

② You **go ahead**.
あなたが先に行って。

③ I want to **go to Hawaii**.
ハワイへ行きたい。

④ Let's **go** see a movie.
映画を観に行きましょう。

⑤ Shall we **go** have some lunch?
昼食に出かけませんか。

⑥ I **go fishing** every once in a while.
たまに釣りに行きます。

> once in a whileは便利な慣用表現。「一定の期間（while）のうち一度（once）」、つまり「たまに」ということ。

⑦ Did it **go as planned**?
計画どおり進んでる？

⑧ I **go** by the name of Sam.
サムという名前で通っています。

⑨ **Everything must go**.
全品売り尽くしです。

⑩ And a prize of $1000 **goes to**...
賞金の1,000ドルはこの方に……

「芋づる式」でどんどん「英語脳」になる！ 91

go

⑪ **The line goes like this**...
こんな台詞でした……。

⑫ Time **goes by**.
時は過ぎ去る。

⑬ Summer vacation is now **gone**.
夏休みも終わりだ。

⑭ He didn't make it; he is **gone**.
彼は助からなかった、死んでしまった。

> goneには「遠くに去ってしまった」、「永遠に戻らない」といった悲しげなニュアンスがあります。

⑮ **Let's have a go**.
物は試しだ。（やってみる）

⑯ It's a **go**!
決行だ！

⑰ **Everything is a go**.
準備は万端。

⑱ It **went back** to where it's supposed to be.
あるべきところに戻った。

⑲ He **went mad** to know the truth.
事実が分かって彼は怒りだした。

⑳ They **went out of business**.
彼らは倒産した。

23 take
=ぐいとつかむ

> I didn't take it!
> 私はとってない！

take──「英語脳」になってみよう！

take と言えば「取る」……ですが、イメージしてほしいのは、「**ぐいとつかむ**」感じ。手をつかめば、

Take my hand.（手をつないで）

となります。お店でカーテンを手につかめば、

I'll take this curtain.（このカーテンにするわ）

つまり「**買う**」という意味になります。

さらに「つかみとる」とイメージすれば、

Take this with you.（これを持っていきなさい）

I will take my son skiing.（息子をスキーに連れていく）

も、わかりやすいでしょう？

It took me an hour to get here.（到着まで1時間かかった）

これも、**時間に「ぐいとつかまれた」**とイメージすれば、英語の感覚がつかめるはず。

Take the visitors!（〈スポーツで〉ビジターに勝て！）

　訪問者を連れて行く……のではありません。ビジターを「**ぐいとつかむ**」。つまり「**勝つ**」のです。

　このように、「取る」より「**ぐいとつかむ**」とイメージすれば、take はもっと使える単語になるはず。

I cannot take it any more.（もうこれ以上耐えられない）

　わかりますか？「**これ以上、つかめない**」——何もつかむ気になれないほど、**我慢ならない**ということです。

「すぐ使える！ すぐ話せる！」コツ

「つかむ」なんていうと何やら強引な印象ですが、take は get ほど積極的ではありません。

　たとえば、次の2つを比べてみると、よくわかります。

I'll take a bus.（私はバスに乗ります）

I'll get that bus.（あのバスに乗ります）

　take は、いわば、**目の前のものを「ぐいとつかむ」**→「**選ぶ**」というニュアンス。対する get は、「何としてもそのバスに乗る」という、かなり強い意思がこもったニュアンスなのです。

「英語脳」になるフレーズ20

① **Don't take this wrong**.
誤解しないで。

② **I'll take my chances**.
かけてみる。

③ I'll **take** pizza.
ピザにします。

> これらは「選ぶ」ニュアンスのtakeですね。

④ **Take a left** at the next intersection.
次の交差点で左折です。

⑤ **Take five**.
少し休憩しよう。

⑥ I **took** courses for a master's degree.
修士課程を取りました。

⑦ We **don't take** credit cards.
クレジットカードは受け付けません。

⑧ **Take my word on it**.
私の言葉を信じなさい。

⑨ I **took** first prize in the race.
レースで1位を取りました。

⑩ Is this seat **taken**?
この席、空いていますか?

take

⑪ Can you **take** a picture?
写真を撮ってもらえますか？

⑫ **Take** it seriously.
真剣に受け止めなさい。

⑬ It was **taken for granted**.
当たり前のように受け取られた。

⑭ **My take** is different.
私の意見は異なります。

> takeを名詞として使えば、「受け取り方」の意味に。

⑮ I'll **take** it from here.
ここからは私がする。

⑯ The shot **took** him off guard.
油断していたら弾が彼に当たりました。

⑰ That idea will **take you nowhere**.
その考えには未来はない。

⑱ This road **takes** you home.
この道で家へ帰れます。

⑲ She was **taken away**.
彼女は亡くなった。

⑳ **Take a walk**.
散歩してきなさい。

24 get
=ガッツリとらえる

I'll get you something to drink.
飲み物を持って（買って）きてあげる。

get──「英語脳」になってみよう！

get は「手に入れる」。でも、漫然と手に入れるのではなく、もっと積極的に「**ガッツリとらえる**」というイメージです。たとえば、成績なら、

I got an A in English.（英語でAを取った）

うれしいですよね。でも……、

I got a cold.（風邪を引いた）

こちらはあまりうれしくない。積極的に風邪を引く人はいませんが、「**とらえてしまった**」と考えればいいでしょう。

get は「ある状態」をとらえる、という意味で使われることもあります。

Let's get going.（行こう！）

「**行く状態をとらえる**」——そのココロは「行こう！」なのです。やはり積極的な感じ。では、次はどうでしょう？

I got home late.（深夜に帰宅した）

「遅くに家を手に入れた」ではありませんよ。「**家に到着した状態を手に入れた**」——遅くなったけれど、ようやく帰宅できたわけですね。

では、とらえたのが「人の話」や「意味」だったら？

I don't get it.（意味がわからない）

この場合は、「ものごとの本質をとらえる」というニュアンス。つまり **get** は、「**理解する**」という意味になるのです。

「すぐ使える！ すぐ話せる！」コツ

ちょっと面白いもので、こんな言い方もあります。

You really got me.（君にベタぼれだよ！）

直訳すれば、「**君は僕を完全にとらえた**」——まさに相手の虜になってしまっている感じが、よくわかりませんか？

このように、get は「**積極的にとらえる**」イメージ。

ですから、「この場合は take ？ get ？」と迷ったら、「ぐいとつかむ？ ガッツリとらえる？」と判断すればいいのです。これで、微妙にニュアンスが間違って伝わってしまうこともなくなるでしょう。

「英語脳」になるフレーズ20

① I **got it**!
(それを手に入れた→) 了解!

② **Get** smart.
賢くなれ。(「賢い」をとらえろ)

③ Go **get** a table.
席を取って (確保して) きて。

④ **Get** me a doctor.
医者を呼んでください。

> 直訳なら「私に医者をとらえてきて」。まぁ実際にその辺でつかまえるわけではありませんが。

⑤ I **got married**.
(結婚した状態にした、から) 結婚した。

⑥ Don't **get me wrong**.
僕の意味を勘違いしないでね。

⑦ **Get some rest**.
休憩しなさい。

⑧ **Get a good look** at the picture.
この写真をじっくり見て。

⑨ I'll **get** the door.
僕にドアは任せて。

⑩ Smoking has **got** me.
喫煙習慣ができてしまった。

get

⑪ We **get along well**, don't we?
私たち、仲いいよね。

> 「get along=沿っている状態」。お互い意に沿った関係だから「仲がいい」ということですね。

⑫ **I'll get him to do it**.
彼にやらせるよ。

⑬ **Get him on the phone**.
彼を電話に出して。

⑭ **I got my car broken into**.
車上ドロにあった。

⑮ Lying **won't get you anywhere**.
嘘をついても（どこへもたどり着かない→）ムダさ。

⑯ Let's **get rid of** it.
もうやめにしよう。

⑰ I finally **got to see** you.
（会うに至ったので）ようやくあなたに会えた。

⑱ Did he **get** there in time?
彼は時間内に着いた？

⑲ **Get on** with your planning meeting.
会議の計画に取りかかりなさい。

⑳ **What's got in to you**?
（何があなたに入ったの？→）一体どうしたの？

25 have
=すでにある

> Do you have the time?
> 時間は分かりますか？
> (時間を持っていますか)

have——「英語脳」になってみよう！

haveは「持っている」と習いました。

I **have** a car.（私は車を持っています）

これは典型的。でも、haveをイメージで理解するなら、**「すでにある」**がピッタリ。手に入れるときは積極的だったのでしょうが、今となっては「すでに持っている」ということです。

たとえば、「have to ～」は、構文として「～ねばならない」と習ったはず。でも、どうして「have」なんでしょう？

I **have to** study.（勉強しなきゃ）

勉強することが「すでにある」。日本語にすると妙な感じですが、「勉強」が**有無を言わさぬもの**として「すでに

ある」——だから「ねばならない」のです。

I had a bath.（風呂に入った）

　風呂を持っていたわけじゃありません。「**入った**」んです。

I'll have him do it.（彼にさせよう）

　これは少しわかりにくいかもしれませんね。でも、彼を「すでにある」状態にする——だから、「**命令してさせる**」というニュアンスになるのです。

「すぐ使える！ すぐ話せる！」コツ

　have は「持っている」。これは確かですが、そこから「**食べる**」「**開催する**」、しまいには「**やっつける**」などなど、意味がどんどん広がっていく単語なんです。

　また、動詞のなかではもっとも多く使われますが、理由は次のように完了形で使われるから。

I have just finished my work.（ちょうど仕事を終えたところ）

　こうした完了形に苦手意識の強い人も多いと思いますが、何もむずかしいことはありません。「**過去に起こった結果、今どうなっているのか**」という「**時間の流れ**」すらも、「**すでにある**」と考えればいいのです。

　このように、have の基本はすべて、「**すでにある**」。これでもう悩むことはありません。

「英語脳」になるフレーズ20

① **I have had** it!
もうたくさんだ！

② I **have** two brothers.
兄弟が2人います。

③ I **have** a pet.
ペットがいます。

④ She **has** a big house.
彼女は大きな家を持っています。

⑤ She **has** beautiful eyes.
彼女は美しい目をしている。

⑥ I'll **have** fish.
私は魚にします。

> レストランのコース料理に、よく「メイン料理：お魚かお肉」とありますね。そんなときに使う表現。

⑦ I **have** a stomachache.
腹痛がする。

⑧ Cats and dogs **have four legs**.
ネコや犬は4本足をしている。

⑨ I **had enough drink** tonight.
今晩は十分飲んだ。

⑩ You **have good manners**.
あなたはマナーがよいですね。

have

⑪ We are **having a baby** next month.
来月子どもが生まれます。

⑫ I'm **having a day off** tomorrow.
明日休みを取ります。

⑬ Let's **have** a break for 5 minutes.
5分間休憩を取りましょう。

⑭ I'll **have a look**.
見てみます。

⑮ **I had my car stolen**.
私は車を盗まれました。

⑯ **I'll have my car fixed**.
車を修理に出します。

⑰ We **had** them finally.
ついにやっつけたぞ。

⑱ **I have seen** the movie before.
その映画見たことある。

⑲ We **have lived** in Tokyo for ten years.
私たちは東京に10年住んでいる。

⑳ I **have bought** a house.
家を買いました。

> 学校では現在完了と習いましたが、これも「その映画を見た状態」が「すでにある」と考えればカンタン。

26 tell
=きちんと伝える

> To tell you the truth...
> じつは……。(本当のことを言うと)

tell——「英語脳」になってみよう！

話を「きちんと伝える」。tell はそんなイメージです。

I have something to tell you.（君に言うことがある）

I'll tell you the way to City Hall.
（市役所への道順を教えてあげよう）

心を込めて、親切に、「**きちんと伝える**」感じがしますね。

It's hard to tell the difference.
（違いを見分けるのはむずかしい）

これだって、要は「**違いをきちんと伝えるのがむずかしい**」とイメージすれば、パッと tell が出てくるはずです。訳は「言う」とか「教える」「見分ける」などさまざまですが、こうイメージすれば難なく使いこなせますよ。

「英語脳」になるフレーズ10

① I'm going to **tell** you a secret.
秘密を教えてあげます。

② **Don't tell** anybody.
誰にも言わないでね。

③ Please **tell** me the reason why.
なぜだか理由を教えて。

④ I **can't tell** you how much I love you.
どれほど愛しているのか口では伝えられない。

⑤ **Tell** me about it.
そんなこと知っているよ。（反語的に）

⑥ I **can't tell** by the look on his face.
彼の表情だけでは判断できない。

⑦ Can you **tell the difference**?
区別できる？

⑧ How could you **tell** that it was going to happen?
なぜそうなるとわかっていたの？

⑨ I was **told** not to.
するなと言われた。

⑩ Only time **will tell**.
時が経たねばわからない。

27 say

＝言葉を発する

I think...

> It's hard to say I'm sorry.
> ごめんねって言うのはむずかしい。

say——「英語脳」になってみよう！

say はズバリ「言う」。しかも**意味や目的のために「言葉を発する」**イメージです。たとえば、

Say "Cheese."（はいチーズ）

Say it again.（もう1度言って）

と、**ニッコリさせたり、繰り返させたり**します。

人に意見を聞くときも、日本語なら「ご意見は？」と考えを尋ねますが、英語ではこんな言い方が一般的。

What do you say?（あなたならなんて言う？）

考えていることの中身を、「**どんな形で口に出して表現するのか**」を尋ねるのです。そして議論のはてには、こんなふうに開き直ってしまうことも……。

Let's say I'm wrong... so what?

(私が間違えているとしよう、それがどうした？)

「**仮にそう言ったとして**」、ということです。

「すぐ使える！すぐ話せる！」コツ

このように「**何かを表現する**」のが say のイメージですが、言葉を発するのは人とは限りません。

It doesn't say in this book.

(この本にはそんなことは書いてない)

The sign says no right turn on red.

(その標識には「赤信号で右折禁止」とある)

アメリカでは車は右側通行なので、右折するときは赤信号でも曲がれますが、NO RIGHT TURN ON RED と標識のあるところでは曲がれないのです。

もの言わぬはずの本や交通標識も、**何かを表現している**わけですね。また人の表情も、

The look on your face says it all. (表情がそう言ってるよ)

と、**無言の言葉を発している**のです。

say はもっぱら、「**意味のあることを口に出す**」イメージですが、そこから人の声だけに限らず、**文字や標識が**「**言葉を発する**」という意味でも使われるのです。

「英語脳」になるフレーズ20

① Do not **say** a thing.
何も言うな。

② Please **say hello** to your family.
ご家族によろしくお伝えください。

③ Why didn't you **say** so?
なぜそう言わなかったの?

④ Let's **say good-bye**.
おいとましましょう。(さよならを言うので)

⑤ **I'd rather not say**.
できれば言いたくないのですが。

⑥ Are you **saying** that you're quitting the job?
仕事を辞めるって言うの?

⑦ **Say your prayers**.
お祈りしなさい。

⑧ Oh, I know that **saying**.
そのことわざ知ってる。

> 「言う」から転じて「ことわざ」という意味にもなるんですね。

⑨ You can **say** that again.
(再び同じことを言ってもよい→あなたの言うとおり) 賛成です。

⑩ Give me, **say**, 100 push-ups.
え〜と、じゃあ、腕立て100回ってことにしよう。

say

⑪ Let's wait for, **say**, five more minutes.
う〜んと、あと5分待ってみよう。

⑫ That's what they **say** about you.
みんながあなたのことをそう言っているよ。

⑬ **The paper says** that he was murdered.
新聞によると彼は殺されたようです。（表現する→伝える）

⑭ His book **says nothing** about the new theory.
その新説については彼の本には何も書いてない。

⑮ The package **says** it's good till next August.
パッケージには来年の8月まで大丈夫とある。

⑯ My **watch says** it's noon.
私の時計によれば正午です。

⑰ Mother **says** to clean your room.
お母さんはあなたの部屋を掃除しなさいと言っているんです。

⑱ Well **said**!
よくぞ言った！

⑲ **I'll say**.
賛成。

⑳ **You don't say**.
本当に？

> 直訳すれば「あなたは言わない」——「まさか！」というニュアンスで使います。

28 call

=ズバリ呼ぶ

オーィ

> **Nature calls.**
> ちょっとトイレ。

call——「英語脳」になってみよう！

call は「呼ぶ」。もちろんそうなのですが、ただ呼ぶだけではありません。かなり積極的に、「**ズバリ、人やモノを呼ぶ**」というイメージです。

もっともよく使われるのは、「**電話をかける**」という場合。

Call this number.（この番号に電話して）

Call me around 7.（7時ごろ電話して）

そのほか、トントンとドアをノックして相手を呼ぶ状況、すなわち「**訪問する**」ことにもなります。

Someone is calling at my door.（誰か来たみたい）

このように、とにかく**決まった相手やモノをズバリ呼ぶ**という感じ。それもそのはずで、call にはもともと「大声

で叫ぶ」という意味があったのです。

そこから、次のように「呼ぶ」の意味になり……、

Stand up when your name is called.

(名前を呼ばれたら立ちなさい)

さらに「呼び寄せる」の意味も生じました。

Call the doctor.（医者を呼んで）

「すぐ使える！ すぐ話せる！」コツ

このように、call は「**ズバリ呼ぶ**」というニュアンスの単語。そこから広がって、

I call it a chance.（私はそれをチャンスと見る）

のように、「**決めつける**」といった意味でも使われます。

We called the game.（我々はコールドを宣言した）

これは野球のコールドゲームのこと。そのゲームを「**決めつけた**」——要するに、9回まで行く前に結末を決めつけ、ゲームをおしまいにしてしまった、というわけです。

あるいは、もしみんなが残業、残業の毎日なら……、

Let's call it a day.（今日はここまでにしよう）

と呼びかけてみては？　ここで1日と「決めよう」。つまり、今日はここまでにして切り上げよう、という意味。

call ——とても強い意思を感じる単語ですね。

「英語脳」になるフレーズ20

① Someone is **calling** your name.
誰かが君の名を呼んでいるよ。

② **Call** me a taxi.
私にタクシーを1台呼んで。

③ What do you **call** him?
彼の名前は？

④ **Call me** Bob.
ボブと呼んでください。

⑤ I **called to see you** yesterday.
昨日会いに行ったのに。

⑥ I'll **call** you **up** at 6.
6時に電話で起こしてあげます。

⑦ That **called for my attention**.
それが（私の関心を呼んだ＝）気になりました。

⑧ Fish are **calling me**.
（魚たちが私を呼んでいる＝）釣りに行きたい。

⑨ **Call it off** till tomorrow.
明日まで延期しましょう。

⑩ I **called** for help.
大声で助けを求めた。

call

⑪ You received **a call**.
お電話ですよ。

⑫ I can't take **that call** now.
その電話には今出られない。

⑬ It's **your call**.
それはあなたが判断することです。

⑭ Your dog came at **my call**.
呼んだらあなたの犬がやってきた。

⑮ **Call a truce**.
休戦しよう（宣言する）。

⑯ He who pays the piper **calls the tune**.
費用を持つ者が決定権を持つ。

⑰ **I called your place**.
ちょっと寄ってみた。

⑱ It's not luck, it's **called** skill.
これは運ではない。能力と言うのだ。

⑲ Give me a **call** later this evening.
夕方にまた電話ください。

⑳ That's what we **call** progress.
それを「進歩」と呼ぶんだよ。

29 need
＝足りないから必要

> **I need you!**
> 僕にはあなたが必要だ！

need──「英語脳」になってみよう！

need は「**足りないから必要**」、そしてより強い欲求＝want になるという順序でイメージしましょう。

I need some winter clothes.（冬着が必要だ）

この some は不特定の冬着を指すので、「**何でもいいから冬着が必要**」というニュアンス。それが具体的になると、I want a coat!（コートが欲しい！）となります。

need は名詞としても使えますが、イメージは同じ。

My friend was in need, so I went to help her out.
（友人が困っていたので、助けに行った）

友人が**助けを必要とする状態**にあった──だから助けに行ったわけですね。

「英語脳」になるフレーズ10

① The baby **needs** her diaper changed.
この赤ちゃん、オムツをかえてあげないと。

② I **need** money.
お金が必要だ。

③ If there's anything you **need**, don't hesitate to ask.
何か必要であれば、遠慮なくおっしゃってください。

④ She **need** not come to the party.
彼女はパーティに来る必要はない。（必ずしも来なくてよい）

⑤ I **need to go** soon.
すぐ行かなくては。

⑥ The test was so easy that I didn't **need** to study.
テストは簡単すぎて、勉強の必要はなかった。

⑦ The wall **needs** painting.
壁は塗装が必要だ。

⑧ There is **no need** for you to do that now.
あなたが今それをやる必要はない。

⑨ There is **a need** for more rain in the area.
その地域にはもっと雨が降る必要がある。

⑩ There is a huge **need** for better leadership in the company.
会社にはよりよいリーダーシップという大きなニーズがある。

30 want
=すごく欲しい

> **What do you want?**
> 何が欲しいのですか?

want──「英語脳」になってみよう!

want は「望む」「欲しい」という意味。欠けているから必要 (need)、そして「**欲しい (want)**」**となる**わけです。

I want some ice cream. (アイスクリームが欲しい)

アイスクリームが欲しい程度なら平和ですが、

If you want peace, prepare for war.

(平和を欲するのなら、戦争に備えなさい)

戦争の先に平和があるのかもしれませんが、皮肉な話です。次も穏やかではありませんが、会話ではよく使う表現。

Do you want a piece of me? (やるかい?)

a piece of me は、「**一発お見舞いする**」という話し言葉。「**それが欲しいわけ?**」と挑発しているのです。

「英語脳」になるフレーズ10

① Waste not, **want not**.
ムダがなければ不足もない。

② If you **want**, we can eat out tonight.
あなたが望むなら、今日は外で食事をしましょう。

③ Do you **want to go** to the movies with me?
私と映画に行ってくれる？（行きたい？）

④ **I want in**.
参加したい。

⑤ **I want out**.
もうやめたい。

⑥ She did not **want** for talent.
彼女は才能を必要としなかった。

⑦ He **wants** for athletic ability.
彼は運動の才能が不足している。

⑧ He **wants** for nothing.
彼は何も望まない。

⑨ Wow! You sure do have **a lot of wants**!
まあ！ あなたは要求が多いですね！

⑩ **For want of** a better word...
適切な言葉が見つからないので……。

31 put
＝ポンと置く

> **Put the scheme into practice.**
> 計画を実行に移しなさい。(実践の状態に置く)

put──「英語脳」になってみよう!

put は「**ポンと置く**」イメージ。

では何を「ポンと置く」のか? 荷物を置くなら単純に、

Put them on the table.(テーブルに置いて)

となり、「服」や「靴」を人の上に置けば、

Put your shoes on.(靴をはいて)

と「**身に着ける**」ことになります。文字を紙に置けば、

Put your name in the blank space.

(空欄に自分の名前を書き入れなさい)

という具合に、「**書き入れる**」の意味になりますね。

そして、人に責任や罪などを置けば、

Don't put the blame on me.(私に責任を押しつけないで)

「押しつける」になるのです。

　このように日本語にすると違う言葉になりますが、すべて「ポンと置く」と考えれば、すんなり理解できます。

「すぐ使える！すぐ話せる！」コツ

　さらには、**人やものごとを「ある状態」に置く**ことも。すると表現の幅がぐっと広がります。たとえば、

I'll put him to work on that.（彼にそれをさせよう）

　その作業の上に、彼を「置く」わけです。

Could you put me through to the boss?
（ボスにつないでくれますか？）

　through＝スルーッとつなぐ……ダジャレはさておき、つまり「**私の電話をボスにつながった状態に置く**」と考えれば、イメージがわくはず。

Let's put it off till tomorrow.（明日まで延期しよう）

　これも考え方は同じ。学校では慣用句として丸暗記したかもしれませんが、「**明日までオフな状態に置く**」と考えれば、しっくりきますね。

　put は本当にいろいろなモノを「**ポンと置く**」動詞。**「これはこっち」「それはそっち」という具合**で、ポンポンとモノを置いていくのです。

「英語脳」になるフレーズ20

① How do you **put it in English**?
(言葉をどう置けばいいの？→) これは英語で何て言うの？

② **Simply put**.
(話を簡単な状態にポンと置く＝) わかりやすく言えば。

③ Let me **put** it this way.
(この方法に置く＝) 言いかたを変えてみよう。

④ **Put** the plates on the table.
皿をテーブルに置きなさい。

⑤ You should **put on** your coat.
コートを着ていったほうがいいよ。

⑥ **Put** the textbook **in** the bag.
教科書をカバンに入れなさい。

⑦ The police **put** him **in jail**.
警察は彼を牢屋に入れた。

⑧ You just **put** a price **on** it.
あなたが値段を付けてよ。

⑨ I've **put** a lot of money **into** my business.
商売にたくさんのお金をつぎ込んだ。

⑩ He always **put me in a bad mood**.
彼はいつも私をイヤな気分にさせる。

> put out、put in、put onなど「put＋○○」の表現は、いくつか覚えておくと便利！

put

⑪ Don't **put** yourself **into trouble**.
やっかいに巻き込まれる（自らを放り込む）なよ。

⑫ **Put out** the candle.
ろうそくを消して。

⑬ He **put** a dart in the bull's eye.
彼は的の中心にダーツを投げた。

⑭ We all have to **put up** with something.
みんな何かに我慢しなければならない。

⑮ He **put together** a new band.
彼は新しくバンドを組んだ。

⑯ I've **put aside** some money for times like this.
こんなときのためにお金を貯めておいた。

⑰ **Put** it **back** to where it was.
元のところへ戻しなさい。

⑱ **Put** your name **down** here, please.
ここに名前を書いてください。

⑲ **Put** it **on** his tab.
彼の勘定に付けておいて。

⑳ **Stay put**.
（止まった状態に置く→）じっとしていなさい。

32 set
＝きちんと整えて置く

> **Set them free.**
> 彼らを解放しなさい。
> （自由な状態にきちんと整える）

set——「英語脳」になってみよう！

set は「置く」ですが、単に置くのではなく、あるべきところや、正しい状態に「**きちんと整えて置く**」イメージ。

I'll set the table.（私がテーブルをセットするよ）

これは**テーブルセッティング**のこと。

Would you set the vase on the desk?

（花瓶を机に置いてくれる？）

この場合、put（ポンと置く）も使えますが、**正しい場所に正しく置く意味合いでは set が適切**です。

His house is set by the shore.

（彼の家は海岸沿いに建てられている）

ただ建っているのではなく、**きちんと計画して海沿いに**

建てられている感じです。

「すぐ使える！ すぐ話せる！」コツ

set するのは、目に見えるモノばかりではありません。

Your advice set me thinking.

（あなたのアドバイスには考えさせられた）

直訳すれば、「**あなたのアドバイスは、私を考えている状態に整えた**」——このように人の心を「**あるべき状態に置く**」場合にも使えます。

You set a good example for your son.

（あなたは息子さんによい手本を示しました）

これも、**手本を正しい場所に置く→示す**と考えれば、イメージがわくでしょう？

The sun sets in the west. （日は西に沈む）

日本人にとって日は海に「沈む」ように映りますが、英語圏の人たちにとって日は沈むものではありません。昇った太陽は、ふたたび**あるべきところへ置かれる**、というのが英語脳の感覚。

最後に「**正しく整った状態**」を表わすこんな使い方を。

Are you all set? （準備できた？）

このイメージで覚えれば、set がうまく使いこなせます。

「英語脳」になるフレーズ20

① They **set** a police stand right next to the station.
交番を駅の隣に設置した。

② Four guards were **set** around her.
4人の護衛が彼女のまわりに配置されました。

③ I **set** my feet into position at the start line.
スタートラインに足をセットしました。

④ **Set** things right first.
まずは準備しなさい。

⑤ I **set myself** to learn English.
英語を学ぶ決心をしました。

> 「自分をその状態にセットする」で「決心する」という意味になるんですね。

⑥ I **set** my men to work on that.
それは私の部下たちにさせています。

⑦ You are **set** to supervise the workers.
労働者たちを監督することになっています。

⑧ **Set** the engine **to idle** for about five minutes.
5分ほどエンジンを暖機させます。

⑨ I've **set** the alarm clock for 6 o'clock.
目覚ましを6時にセットしました。

⑩ **Set a fire**.
火をおこしましょう。

set

⑪ I'll **set** the fish hook for you.
釣り針をセットしてあげます。

⑫ Let's **set** the date for the next meeting.
次の会議の日程を決めましょう。

⑬ He **set** the deadline for this project.
彼はこの計画の締め切りを設定しました。

⑭ They **set the age limit** for the ride.
この乗り物には年齢制限があります。

⑮ Let's **set** this matter **aside** for now.
とりあえずこの件は横に置きましょう。

> set aside で「脇においておく」。仕事をスムーズに進めるために、これが必要なこともありますね。

⑯ He **set** a new world record.
彼は世界新記録を打ち立てました。

⑰ He **set off** north.
彼は北へ出発しました。

⑱ Apples **set well** this year.
今年はリンゴのなりがよい。

⑲ On your marks, **get set**, go!
位置について、用意、ドン！

⑳ What did you do with your **TV set**?
テレビをどこにやった？

33 place
=ピッタリはまるところ

> There's no place like home.
> わが家にまさる場所はない。

place——「英語脳」になってみよう！

place は本当にいろんな「場所」を表わします。と言っても漠然とした場所ではなく、「**ピッタリはまるところ**」というイメージ。たとえば、

I can't find a place to park my car.

(車を停める場所が見つからない)

車がピッタリはまるところが、見つからないわけです。

それから、こんなふうにも使います。

There's no place on the wall to hang a picture.

(壁に絵をかける場所がない)

どうやら壁が、すでに写真でいっぱいなんですね。

また、「**人がピッタリはまるところ**」という意味で、人

の地位や立場、境遇などを指したりもできます。たとえば、

There's no place for you.（あなたの居場所はない）

　お前にピッタリはまる仕事なんてないよ、ということ。

　あるいは、レースが終わったときの自分の順位に使うことも。

I got first place in the race.（そのレースで1位をとった）

　でも、同じ first place でも、

I didn't like this plan in the first place.

（最初からこの計画には乗り気じゃなかった）

　となると、「**そもそも最初から**」という意味になります。

「すぐ使える！ すぐ話せる！」コツ

　そうそう、place は動詞としても使われるんですよ。

Place your pencils on the desk.（鉛筆は机の上に置いて）

　put よりも、ちょっと硬いニュアンス。**あるべきところ＝ピッタリはまるところに置く**、ということです。

　最後にもう1つ。my place ——これが何を意味しているか、わかりますか？　**自分が一番ピッタリはまるところ**は、やはり家。だから「**わが家**」という意味なんです。

　place が、何だか温かみのある言葉に思えてきます。

「英語脳」になるフレーズ20

① This is a good **place** to have a picnic.
ここはピクニックにはよい場所ですね。

② It **took place** in 1982.
それは1982年に起こりました。（場を占める）

③ Scoot over and make a **place** for him.
ちょっと詰めて彼に席を作って。

④ There's no **place** for doubt.
疑問の余地はない。

⑤ What's **this place** called?
ここは何と呼ばれる場所？

⑥ I kept your **place** warm.
代わりにやっておきましたよ。

> このplaceはしばらく来ていなかった同僚の「役職」。それを温めておいた＝代わりに仕事をやっておいたよ、ということです。

⑦ You can find a lot of **places** to dine.
食事をする場所はたくさんあります。

⑧ Did you find **a place to stay**?
滞在場所は見つかりましたか？

⑨ Can I stay at **your place** tonight?
あなたの家に今晩泊まれますか？

⑩ It's a nice **place** you got here.
よい家をお持ちですね。

place

⑪ The sales division has **a place for you**.
営業部門にあなた向けの仕事があります。

⑫ Will you save this **place** for me?
順番を取っておいてくださいますか？

⑬ This is **not the right place** to bring that up.
ここでその話を持ち出すのは不適切です。

⑭ This is not a **place** to write personal e-mails.
ここは個人的なメールを書く場所ではありませんよ。

⑮ Put everything **back in its place**.
すべて元の場所に戻してください。

⑯ Everything fell into **place** after all.
すべてはあるべきところへ落ち着いた。

⑰ We'll **place** your name on the waiting list.
順番待ちリストにお名前を載せておきます。

⑱ I can't remember where I **placed** my watch.
時計をどこに置いたのか思い出せません。

⑲ I'll **place the order** for you.
代わりに発注しておきます。（注文を置く）

⑳ She **didn't have a hair out of place**.
彼女は一糸乱れぬ出で立ちだった。

34 in

＝ポンポン放り込む

> **Come on in!**
> （なかに）入っておいで。

in──「英語脳」になってみよう！

　inは、人や物などの対象を、ありとあらゆるモノに「**ポンポン放り込んで**」しまう単語。

　モノといってもカタチのあるモノに限らず、場所や位置、部位、環境、状態、考え方、時間なども含みます。

　たとえば、

There is a ball in the box.（箱にボールが入っている）

　のように「**箱**」という目に見えるモノにも使えば、

I live in Japan.（私は日本に住んでいる）

　のように、**地域の中**を表わしたり、さらには、

I'm singing in the rain.（雨の降るなかで歌っている）

　と、**ある状態の中**にいるのを表わしたり……。

He told me in his email. (彼はメールで言った)

　こんなふうに、**文章中**でのことにも使いますし、

I'm in pain. (痛い)

「痛みの中にいる」と、**状態**についても使います。

　とにかく、**あらゆる状態に、人でもモノでも何でも放り込んでしまうのが in** なんです。

「すぐ使える！ すぐ話せる！」コツ

　もう少し例文を見てみましょう。

There's a hole in my favorite shirt.
(お気に入りのシャツに穴があいた)

　一見、シャツの「上に」虫食い穴があると考えがちですが、シャツを広げてみれば、これも「**シャツの中**」にあると納得できますね。

　では、これはどうでしょう？

Let me in on it. (私も入れて)

　on it は「ある企て」、「**その中に自分を放り込む**」という意味で、こういった使い方もできます。

　目に見えるものかどうかに関係なく、その中に何かが入っているようすを表わす in。in が出てきたら、**とにかくポンポンと放り込む**この感覚を、思い出してくださいね。

「英語脳」になるフレーズ20

① I read it **in** the paper.
新聞（の中）でそれを読みました。

② I like to study **in** the library.
図書館（の中）で勉強するのが好きです。

③ I was sick **in** bed.
病気でベッド（の中）で寝ていました。

④ **Hop in**!
乗り込みな！

⑤ I found a typo **in my dictionary**.
辞書に誤植を見つけた。

⑥ I'm **in trouble**.
私は困難な状態にあります。

⑦ You mean that woman **in red**?
あの赤い服の女性のこと？

⑧ He's **in show business**.
彼はショービジネスをしています。

⑨ I was **in the army**.
私は陸軍に所属していました。

⑩ **Put yourself in my shoes**.
私の身になってみてよ。

> 直訳すれば「私の靴の中にあなたを入れて」。たしかに相手の靴を履いてみたら、その身になって考えられるかも。

in

⑪ I'm **in charge of** this.
私がこの件の責任者です。

> in charge of はビジネスでよく使う表現。「責任者」のほかに「担当者」「担当部署（section）」と言うときにも使えます。

⑫ I was born **in '65**.
65年に生まれました。

⑬ I'll be back **in a week**.
1週間で戻ります。

⑭ I'll divide them **in two**.
2つに分けます。

⑮ There was no other way **in order to survive**.
生き残るためにはほかに道がなかった。

⑯ Will the manager be **in** tomorrow?
部長は明日出勤ですか？

⑰ I'm no longer **in to** TV games.
テレビゲームにはもう熱中しない。

⑱ It's **in this spring**.
この春流行っていますよ。

⑲ What are your **in-flight** services?
どのような機内サービスがありますか？

⑳ Do you believe **in God**?
あなたは神を信じますか？

35 into
＝めがけてくる

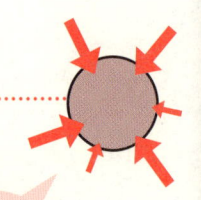

> **The snow turned into rain.**
> 雪は雨に変わった。
> （雨の状態が雪の状態にすっと入り込んだ）

into──「英語脳」になってみよう！

into は見てのとおり「in＝〜の中」「to＝〜へ」がくっついた単語。でも単純に「〜の中へ」とすると、ちょっと意味が狭くなりすぎてしまうのです。

言うなれば**「めがけて」**というイメージ。

She ran into the house.（彼女は家の中へ走り込んだ）

He looked into the small box.（彼は小箱をのぞき込んだ）

これなら「〜の中へ」でもいいのですが……、

He crashed into the telephone pole.（電柱に突っ込んだ）

こうなるとまさに**「電柱めがけて」**というニュアンス。

He ran into his friend at the grocery store.

（彼は食料品店で友だちにバッタリ会った）

知らないうちにお互いめがけて、「**おっ**」と出くわした感じ。それに、

The caterpillar changed into a butterfly.
（毛虫は蝶になった）

ある状態から別の状態に**変わる様子**も、into です。

「すぐ使える！ すぐ話せる！」コツ

もちろん、見えないモノがめがけてくることもありますよ。

Everything just fell right into my lap.
（すべてうまく行った）

lap はひざ。**すべてが私のひざめがけてきた。望んだ結果が手中に飛び込んできた**感じ。では次はどうでしょう？

It was well into the night before he fell asleep.
（彼が寝たころには夜も更けていた）

刻々と夜が更けた感じですね。

What are you into recently?（最近、何にハマってる？）

これは**何かに没頭している雰囲気**。よく使う表現です。

The two businessmen entered into an agreement.
（2人のビジネスマンが合意に達した）

これも「**めがけて**」とイメージすると、合意を目指して議論を尽くした感じが伝わってきますね。

「英語脳」になるフレーズ20

① He **dived into** the lake.
彼は湖に飛び込んだ。

② He drove his car **into** his garage.
彼は車をガレージの中へ入れた。

③ She pointed **into the fog**.
彼女は霧のほうを指さした。

well into the weekは、「よく(かなり)週の中に入り込んだ状態」ですから、週の半ばということです。

④ He was heading **into town**.
彼は町のほうへ向かっていた。

⑤ It was **well into the week**, and he was exhausted.
週も半ばを過ぎ、彼は疲れていた。

⑥ He **ran into** his client on his way to work.
彼は職場に向かっているとき偶然、顧客に会った。

⑦ He **bumped into** the table and spilled the coffee.
彼はテーブルにぶつかってコーヒーをこぼした。

⑧ Everything **fell into place** for a while.
しばらくのあいだ、すべてはうまく行っていた。

⑨ The number 5 **goes into** 30 six times.
30を5で割ると6。(5が30の中にいくつ入り込む?)

⑩ She**'s going into** business for herself.
彼女は自分で事業を開始することになっている。

into

⑪ I'm really **into** yoga right now.
今ヨガにハマっている。

⑫ He **tore** up the paper **into tiny pieces**.
紙を小さくちぎった。

⑬ He's really **coming into his own**.
彼は本当に立派になった。

⑭ The old building had **fallen into decay**.
あの古いビルはボロボロだ。

⑮ He **walked into** the boardroom.
彼は重役会議室に入った。

⑯ The man was finally allowed **into the elite group**.
彼はついにエリートグループに迎えられた。

⑰ He looked **into the distance**.
彼は遠くを見つめた。

⑱ The dish broke **into pieces**.
お皿が粉々に砕けた。

⑲ The wine turned **into vinegar**.
ワインはビネガーになってしまった。

⑳ He was well **into** the book when he lost it.
彼がその本をなくしたときには、とてもハマっていた。

36 out
=ここから外へ出る

> The stain has faded out.
> シミは消えてなくなった。

out──「英語脳」になってみよう!

out は「ここから外へ出る」というイメージ。

典型的なのは、「**外出**」を表わす場合です。

He is out at the moment. (ただ今彼は出かけています)

でも、これ以外にも使い勝手のいい単語なんですよ。

Keep out of my room. (私の部屋は立ち入り禁止)

これは「**外に出ている状態を保て**」ということ。また、

Speak out! (大声で話しなさい!)

というように「話すこと」を外に出せば「隠し立てしない」、転じて「**大声で話す**」という意味になります。

では、これはどういう意味だと思いますか?

He's cut out for that job. (彼がその仕事に適任だ)

「その仕事のために切り出された」──仕事の形が彼の形にピッタリとハマるイメージです。

I'm out for going snowboarding.（スノボやりたい）

これは**外に踏み出す**イメージ。やる気満々な感じです。

「すぐ使える！ すぐ話せる！」コツ

では、正常な状態の「外に出る」とどうなるでしょう。

He passed out.（彼は失神した）

意識が外に出てしまったわけですから、**気を失ってしまった**んですね。これが機械だと、**故障した状態**を表わします。

This phone is out. Try a different one.

（電話故障中につき、ほかをあたってください）

このように、「**正常な状態の外に出る＝異常**」という意味合いになるのです。ファッションが正常の外に出るなら、それは流行遅れということ。

These patterns have gone out of style.

（その柄は流行遅れだ）

それに、out は**モノがなくなった状態**も表わします。

We are out of gas.（燃料切れだ）

ガソリンが「外に出る」から転じて、「切らす」という意味になるのです。この感覚を忘れないでくださいね。

「英語脳」になるフレーズ20

① There's a nail **sticking out of the wall**.
クギが壁から突き出ています。

② People are coming in and **out of the station**.
人々が駅へ入ったり、駅から出たりしています。

③ I had my bad tooth **pulled out**.
虫歯を抜いてもらいました。

④ I **gave out** little gifts to everybody there.
そこにいた全員にギフトを配りました。

⑤ They **kicked him out** of the meeting.
彼らは彼を会議から追い出しました。

⑥ Why is everyone **out** on the field?
なぜみんな外にいるの？

⑦ Look **out** the window.
窓の外を見てごらん。

⑧ It's so cold **out there**.
外は寒い。

⑨ **Look out**!
気をつけて！

> 同様にWatch out! とも言います。「自分の外に注意を向けて！」ということですね。

⑩ They were **out of apples**.
リンゴが品切れだった。（リンゴを扱っている彼らがリンゴの外にいた）

out

⑪ They **went out** shopping.
彼らは買い物へ出かけました。

⑫ **Put out** the light.
電気を消して。

⑬ You look **so tired out**.
ずいぶん疲れているようですね。

> so tired =「かなり疲れている」にoutがつくのだから、もう、「疲れきって何もできない」という状態。

⑭ I'm **out of energy**. I need to eat.
エネルギー切れだ。何か食べないと。

⑮ My printer is **out of order** again.
またプリンターが故障してしまった。

⑯ School is **out for summer vacation**.
学校は夏休みです。

⑰ There's a risk of an **outbreak** of the flu.
インフルエンザが流行する危険がある。(壊れて出るので)

⑱ Take the garbage **out**.
ゴミを(外に)出しておいて。

⑲ I'm sorry, but that model is **sold out**.
申し訳ありませんが、そのモデルは売り切れです。

⑳ He is **out** of touch with reality.
彼は現実とはかけ離れている。

37 for

=向かう先

> Go for it!
> がんばれ！

for——「英語脳」になってみよう！

「for＝～へ向かって、～のために」と覚えている人も多いと思いますが、それだけでは不十分。イメージさえつかんでしまえば、とっても便利な単語なのに、もったいない！

そのイメージとは、人の行動や気持ちやモノが「**向かう先**」。

たとえば……、

I'm doing this for you.（あなたのためにやっているのよ）

あなたに「向けて」これをやっているんだ……と相手の**目の前に自分の行動をドンと押し出す**感じ、わかります？

Join us for dinner.（夕食を一緒にいかが？）

これも、**夕食に向かってどうぞ**、ということ。

I took a train for Osaka.（私は大阪行きの電車に乗った）

こちらは、**電車が物理的に「向かう先」**です。この場合、to と混同しがちですが、使い分けるコツがあります。

to が I'm going to Osaka. のように限定的に目的地を指差しているのに対し、**for は少し範囲が広い**感じ。

to だと語り手の目的が大阪というニュアンスになりますが、for だと、あくまでも**大阪の方向へ行く電車**、というニュアンスです。では次はどうでしょう？

I haven't been out drinking for weeks.
（数週間のあいだずっとお酒を飲んでいない）

禁酒状態が数週間にわたって継続している──「**時間の流れ**」のほうへ「**向かっている**」とイメージすれば、for で「期間」を示すこともできるのです。

「すぐ使える！ すぐ話せる！」コツ

for の感覚がつかめたところで、次の文はどうでしょう？

What's the word for it? （何て言うんだっけ？）

「What's the word」の**向かう先**が「it」と考えると……、「それは何ていう言葉？」。もう少しくだけた訳だと、「**何て言うんだっけ？**」になります。

for は、向かう先を指示してくれるコンシェルジュのような単語。この感覚が大切です。

「英語脳」になるフレーズ20

① I feel sorry **for him**.
彼をかわいそうに思う。

② I'm tall **for a Japanese**.
日本人としては、私は背が高い。

③ He is quite an athlete **for an old man**.
高齢の割には、彼はスポーツマンです。

④ This train is **bound for Tokyo**.
この列車は東京行きです。

⑤ Be prepared **for the big day**.
本番に備えなさい。

⑥ Do you have any plans **for Christmas**?
クリスマスに予定はあるの?

⑦ I'm speaking **for my company**.
私は会社を代表しています。

⑧ You must be crazy to pay $500 **for a T-shirt**.
Tシャツに500ドルも払うなんて、すごい。

⑨ I'm doing this **for a reason**.
理由があってやっているんです。

⑩ **For further information**, call this number.
詳細情報はこの番号へお電話を。

⑪ He's just the right man **for our company**.
彼はわが社にぴったりの人材だ。

⑫ Are you **for**? or against?
賛成？　反対？

> forのイメージは「向かう先」。「そちらを向く」という意味合いから「賛成」の意味にもなります。ちなみにagainstは「反する」という意味。

⑬ **Don't take it for granted**.
当たり前と思うな。

⑭ Run **for your life**.
助かりたければ走れ。

⑮ I'm making **plans for the trip**.
旅のプランを立てています。

⑯ What are you doing that **for**?
何のためにそんなことをしているの？

⑰ Quit smoking **for the sake of your own health**.
自身の健康のために喫煙はやめなさい。

⑱ I was hoping **for you to come**.
あなたが来ることを期待していました。

⑲ I'm saving this **for later**.
あとに取っておきます。

⑳ Let's go **for a walk**.
散歩へ行きましょう。

38 to
＝指さした方向

> **Cut to the chase!**
> 要点を言え！
> (「chase＝追跡画面まで早送り」)

to——「英語脳」になってみよう！

to の基本の役目は、方向を指示すること。**1つの方向を指さしている**イメージです。そのものズバリの使い方は、

Go to school.（学校に行きなさい）

She turned her face to the window.
（彼女は顔を窓のほうに向けた）

人さし指で学校や窓を指さしているイメージですね。

あるいは、こんな場合にも。

The apple fell to the ground.（リンゴが地面に落ちた）

リンゴが、何だか**地面を指さしながら落ちた**という感じ。「上から下へ」という方向が示されています。

It may not be important to you, but it is to me.

(あなたにとっては大切でなくても私には大切だ)

これも、「you」「me」をそれぞれ指さしているのです。

It's nothing compared to what I've been through.

(私の体験に比べれば、どうってことない)

「過去から現在までの私の体験」を to で指さし、それと比べているとイメージすればわかりやすいですね。

What's the point to all these? （そのこころは？）

直訳すれば**「これらすべての要点は？」**。よく使われる表現ですが、やはり all these を指さしているのです。

「すぐ使える！ すぐ話せる！」コツ

to のイメージがつかめると、英語感覚がぐっとよくなります。というのも、「I want to＋動詞」「I have to＋動詞」「I'm going to＋動詞」など、to は本当によく使われる単語だから。

その名も「不定詞」……！ 中学校で習ったはずですが、もう忘れちゃってもかまいません。だって、次頁の例文を見ればわかるように、**不定詞の場合の to もすべて、「うしろの動詞を指さしている」**イメージさえわかっていれば、何もむずかしくないのですから。

「英語脳」になるフレーズ20

① Please come **to** the kitchen.
台所に来てください。

② I went **to** the shore.
海岸にたどり着いた。

③ The total came **to** $10.
合計は10ドルになった。

④ Nothing matters **to** me anymore.
もはや何事も私には関係ない。

⑤ Didn't I give it **to** you?
あなたにあげなかったっけ？

⑥ The car finally came **to a halt**.
車はついに止まった。（に至った）

⑦ The number of victims added **up to 1000**.
犠牲者の数は1000名にのぼった。

⑧ Office hours are **from 9 to 5**.
営業時間は9時から5時までです。

⑨ Let's get back **to** work.
仕事に戻りましょう。

⑩ He nearly starved **to death**.
彼はほとんど死ぬほどお腹を空かせた。

to

⑪ Put both hands **to the wall**.
両手を壁につけ。

⑫ It belongs **to me**.
それは私のです。

> belong to ~ で「~に属する」。モノに限らず、人が「組織に属する」「同好会に属する」といった場合にも使えます。

⑬ **Go to the phone**.
電話に出なさい。

⑭ I like **to travel**.
旅行することが好きです。

⑮ My job is **to teach** children.
子どもに教えることが私の仕事です。

⑯ Would you like something cold **to drink**?
何か冷たい飲み物はいかがですか？

⑰ I studied hard **to pass** the test.
試験にパスするために一生懸命勉強しました。

⑱ I'm so happy **to see you again**.
あなたに再会できてとても幸せです。

⑲ **To tell you the truth**...
じつを言うと……。

⑳ Come **to think** of it...
考えてみれば……。

39 look
=ジッと見る

> Look over there.
> あそこを見て。

look──「英語脳」になってみよう！

lookは対象に目を向けて**ジッと見ること**。同じ「見る」でも、seeよりも関心を持って見ているという感じです。

面白いのは、後にくる言葉によって意味が変わること。といっても何もむずかしくありません。

たとえば、あるものをピンポイントで見るなら、

Look at that!（あれを見て！）とか、

Let's have a look.（見てみよう）

と名詞のように使うことも。見るのが「下」のほうだと、

Don't look down on me.（私を見下すのは止めて）

と「**見下す**」の意味に。反対に上のほうを見ていれば、

You always look up to your parents.

(あなたはつねにご両親を尊敬しているんですね)

という具合で「**見上げる**」→「**尊敬する**」の意味に。

それに、お店に入れば、おなじみのフレーズ……、

Are you looking for something?（何かお探しですか？）

とたずねられるでしょう。今度は「**探す**」の意味に変わっています。もし店員さんにかまってほしくなければ、

Oh, I'm just looking.（ただ見てるだけなの）

と切り返す。これは「**見る**」**そのままの意味**ですね。

「すぐ使える！ すぐ話せる！」コツ

中学校では、こんな言い回しも習ったはず。

I'll look after you.（君の面倒を見るよ）

you のうしろにくっついて「じっと見る」とイメージすれば、「**面倒を見る**」とわかります。では次はどうでしょう？

You look fantastic!（君は本当に素晴らしいよ！）

「**君は fantastic に見える**」ということ。女性には最高の褒め言葉ですね。

こうなると、look は「**見た目の様子**」というニュアンスにもなるのです。もし、相手の顔がさえないのなら、

You look disappointed.（何だか落ち込んでるみたい）

と声をかけてあげましょう。

「英語脳」になるフレーズ20

① **Look** at that huge dog.
あの大きな犬を見てごらん。

② Don't **look down**.
下を見るな。

③ Let's take **a look**.
私が見てみよう。(一見をする)

④ **Look**!
(見ろ→注意を向けろ→)いいか!

⑤ **Look who's here**.
誰かと思えば。(誰が来たか見てごらんよ)

⑥ We're really **looking forward to seeing** you again.
(将来に見ている→)またお会いするのが楽しみです。

⑦ Why are you **looking at** me like that?
何でそんな目で私を見るの?

⑧ Let me **have a look**.
私に見せてごらん。

⑨ I'm **looking for** a present for my mom.
母への贈り物を探しています。

⑩ I have to **look after** my children tonight.
今晩は子どもたちの面倒を見なくてはならない。

> looking forward to〜は「〜を見越している」ことから「〜を楽しみにしている」という意味の慣用句。toの後の動詞がingになることに注意!

look

⑪ **Look who's talking**.
誰が話しているかと思えば。(「見てみなよ」と嘲笑的に)

⑫ **Look it up** in the dictionary.
辞書で調べてみなさい。

⑬ You **don't look so good**.
具合が悪そうですね。(よくは見えない)

⑭ I can tell **by the look** on your face.
あなたの表情だけで分かるよ。

⑮ You are **good-looking**.
あなたはすてきですね。(見栄えがよい)

⑯ How **does it look**?
(どう見える?→) どう?

⑰ It **looks good** on you.
(君の上で映える→) キミにぴったりだよ。

⑱ **Looks like** it's mine.
どうやら私の物のようですね。

⑲ It **looks** obvious to me.
(明らかに見える→) 私にすれば明白だ。

⑳ It **looks** to me like we are finished.
どうやら私たちはやり遂げたようだね。(私にはやり遂げたように見える)

40 see

=目に入る

> Long time no see.
> お久しぶり。
> (「長いこと見ていない」の意から)

see──「英語脳」になってみよう!

see は「見る」というより「目に入る」というイメージ。何でも見通す千里眼のような単語です。だから、

I see many stars.(星がたくさん見える)

というと、意思をもって見つめているのではなく、**夜空を見上げたら星が「目に入った」**ということですね。

目に入ったものが「人」だと、こうなります。

I saw a lawyer today.(今日、弁護士に会った)

その人のことが「目に入った」、つまり「会った」ということです。となると、次の一文は何だと思いますか?

He has been seeing her for years.

(彼は彼女と長年つき合っている)

現在進行形で、相手が「**見える**」→「**会う**」→「**つき合う**」ということになるのです！　面白いですね。

さらに、「目に入る」のは形あるモノとは限りません。

I see what you mean.（おっしゃることはわかります）

というと、**相手の意図するところが「よく見える」→「理解する」**の意味になります。そして、理解するために考えたり、調べたりする。その場合も、see でこと足ります。

I'll see.（考えておくね）

「すぐ使える！ すぐ話せる！」コツ

see は物事を「見る」という意味では、もっとも一般的な単語。似た単語でも、look は「ジッと見る」、watch は「注意深く見る」で、see よりは限定的です。使い分けるなら、こんな具合。

see that TV……あのテレビセット自体を見る

look at the TV……テレビに目を向ける

watch TV……テレビ番組を観る

この感覚が分かれば、次の文のニュアンスもわかるはず。

I looked and looked but I couldn't see it.

（さんざん見てみたけど私にはわからなかった）

これだけ覚えておけば、see もバッチリ使いこなせます。

「英語脳」になるフレーズ20

① I **didn't see** him yesterday.
昨日は彼を見かけなかった。

② You **should see** a doctor.
医者に診てもらったほうがいい。

③ **I'll see you tomorrow**.
また明日ね。

④ It's nice **seeing** you.
お会いできて光栄です。

⑤ I have **seen** worse.
私はそれよりひどいことを経験した。

⑥ I'll **see her home**.
彼女を家まで送ってきます。

> 彼女の家を見るのではありません！「家に着くまで見る＝見守る」というところから「送る」の意味なんです。

⑦ We will **see** you **off**.
あなたを見送りますよ。

⑧ Did you **see** that movie?
あの映画観ましたか?

⑨ My son wants **to see** the game tonight.
息子が今夜の試合を観戦したがっている。

⑩ I want **to see** Kyoto.
京都観光をしたい。

see

⑪ Let me **see** your driver's license.
運転免許証を確認させてください。

⑫ Come and **see** our house.
家を見に来てよ。

⑬ Go **see** the world.
世界を体験してこい。

⑭ I **don't see why not**.
（理由を考えられない→）反対する理由がないね。

⑮ That's not how I **see** it.
それは、私の思うところではない。

⑯ **I see it as a no-brainer**.
簡単だね。

> brainに人を表わすerがついてno brainer……つまり"脳がない人"でもできるくらいカンタン！ということ。

⑰ I'll **see** my schedule.
スケジュールを確認するよ。

⑱ I **see** what is to come next.
次がなんだか想像できる。

⑲ **See** that it gets properly done.
きちんと仕上がるか確認してください。

⑳ **See** that he gets there on time.
彼が時間通りに着くように調整して。

3章

「右脳」を上手に使って「英語脳」になる！

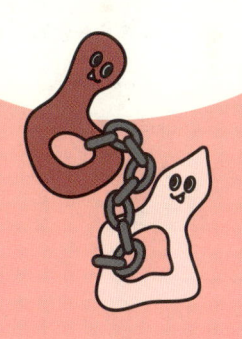

41 at
＝スポットをあてる

Meet me at the entrance gate.
入り口の門のところで会いましょう。

at──「英語脳」になってみよう！

みなさんは「at＝〜に」と覚えていませんか？

たしかにわかりやすいのですが、守備範囲が広い at はそれだけではうまく使えません。大切なのは at の感覚を覚えること。すなわち「**スポットをあてる**」感じです。

まずは覚えたまんま、「〜に」と訳す文を見てみましょう。

He's at the hospital.（彼は病院 "に" いる）

Don't get mad at me.（私 "に" 怒らないでよ）

I usually get up at 7.（いつも7時 "に" 起きる）

We got there at last.（つい "に" そこに着いた）

4つめの文は時間の流れを示すケースで、「最後 "に"」ということですね。これらに共通するのは、指でさし示す

ような感じ。「病院」や「私」、「7時」や「最後」に、**ピンポイントでスポットをあてている**のです。

これこそが、at の感覚なんです。

「すぐ使える！ すぐ話せる！」コツ

「スポット」のイメージが威力を発揮するのは、ここからですよ。「〜に」を頭から消し去って、読んでみてください。

He is good at playing tennis. （彼はテニスが上手だ）

どうですか？ 学校では「be good at 〜」（〜するのが得意）と習いましたね。でも、そんなふうに覚えなくても、「彼は上手です、何かといえば、テニスをするのが」と、**「上手なこと＝テニス」にスポットをあてて**考えれば、簡単に理解できるでしょう？

では、次はどうでしょう。

Men at work. （工事中）

道路工事の現場などでよく見かけるサインです。人が何かをしている、**その状態にまさにスポットをあてる**感じ。

at は、場所や時間をはじめ、さまざまなものを示します。on や in も場所や時間を指すので、今までは違いがわかりにくかったかもしれません。でも、**もっとも正確に対象を指し示すのが at** と覚えておけば、もう怖くありませんね。

「英語脳」になるフレーズ20

① I saw you **at the station** yesterday.
昨日駅であなたを見かけたよ。

② Drop me off **at the corner of 10th and King**.
10番街とキング通りが交わる角で降ろしてください。

③ I'm a student **at UCLA**.
私はUCLAの学生です。

④ We were quite **at a loss**.
私たちは途方に暮れてしまった。

> loss=失うこと。そこにスポットがあたっているわけですから、いったいどうしたらいいのか、手段を完全に見失ってしまったんですね。

⑤ Call me **at the office**.
事務所へ電話してください。

⑥ He is **at work**.
彼は仕事中です。

⑦ Look **at the top of page 77**.
77ページを開きなさい。

⑧ Come sit **at the table**.
こちらに来て席に着きなさい。

⑨ The meeting starts **at 10 o'clock**.
ミーティングは10時ちょうどにスタートします。

⑩ We always get together **at Christmas time**.
私たちはクリスマスのときにはいつも集まります。

at

⑪ You're welcome here **at any time**.
あなたはいつでも歓迎です。

⑫ **At first** we thought it was an easy task.
当初は簡単な仕事だと考えていました。

⑬ He graduated from high school **at the age of 12**.
彼は12歳のときに高校を卒業した。

⑭ You should study **at least 2 hours** a day.
毎日、最低でも2時間は勉強すべきです。

⑮ They were throwing pies **at him**.
みな、彼めがけてパイを投げていました。

⑯ We brought extra pillows **at your request**.
ご要望の予備の枕をお持ちしました。

⑰ The outside temperature is staying **right at 20 ℃**.
外の気温はちょうど20℃です。

⑱ You can try it **at your own risk**.
ご自身の責任でお試しください。

⑲ What are you **getting at**?
何を言わんとしているの？

> get atは「〜をねらいとする」というような意味。

⑳ **At least** he tried his best.
少なくとも彼はベストを尽くした。

42 it
=とりあえずの it

> **How's it going?**
> 調子はどうですか？
> （it＝今の状況すべての代役）

it——「英語脳」になってみよう！

it を訳すなら、「それ」。その意味では、

It's her dog.（それは彼女の犬だよ）

このように使いますが、じつのところ、**it は意味が「ある」ようで「ない」単語**。いわば、いつでも何者にも代われるけれど、ずっと名前のつかない「**とりあえずの代役**」のような単語なのです。これには深い理由が——。

ここでちょっと文法の話になりますが、英語は日本語と違って主語を必要とする言語。

たとえば、「今日は寒い」という場合、厳密には寒いのは気温であって、「今日という時間」ではありませんね。**だから英語では、とりあえず it を主語に置くのです。**

It's cold today.（今日は冷えますね）

時間も同じ。とりあえず it を主語にしてこう言います。

It's 5 now.（5時です）

この it はあくまで**「今という時間」の代役**なのです。

「すぐ使える！ すぐ話せる！」コツ

また、**場所を指す there や here** も、主語としては使えません。だから、とりあえず it を主語に置く。

It was so crowded in there.（そこ、混んでたね）

さらには、文中の一節の代役をまるまる務めることも。

It doesn't matter whether I do it or not.

（私がしようとしまいと関係ない）

この場合、**it は whether I do it or not の代役**です。とりあえず it に続けて結論（＝関係ない）を言ってから、ゆっくりと主語的な節を言うというわけ。

This is it!（それだ！）

さらにこんなふうに**「代えがたいもの」「好ましいもの」を it のひと言で代用**することもあります。

英文に it が登場したら、「それ」と訳すより、「**この it は何の代役なのか**」を考える——すると、英語がもっとわかって、もっと使えるようになるはずです。

「英語脳」になるフレーズ20

① **It's** a starfruit, if you don't know.
それはスターフルーツです、念のため。

② **Is it a he or a she**?
(生まれたのは) 男の子？ 女の子？ (性別がわからないのでとりあえず it)

③ **It's** too bad.
それは残念ですね。

④ Did you get **it**?
それ理解できた？

⑤ I didn't get **it**.
理解できなかった。

⑥ **She's it** if you're looking for a model.
モデルを探しているなら彼女だよ。(好ましいものの代用)

> 何の代役でもこなすit。ここでは文末のmodelを指すことで「彼女こそそれだ」という強調のニュアンスを加えています。

⑦ **It's a call** from your mom.
お母さんから電話ですよ。

⑧ **It was nice and warm** yesterday.
昨日は暖かくよい天気でした。

⑨ **It has been chilly** all week.
今週はずっと冷えこんでいます。

⑩ **It's March** already.
もう3月です。

it

⑪ **It's getting late**. Let's go home.
遅くなったので帰りましょう。

⑫ **It's** just **before noon**.
まだ昼前です。

⑬ **It's Sunday** today.
今日は日曜日です。

⑭ **It's only a five-minute walk** from here.
ここから歩いてほんの5分です。

⑮ **It's been 20 years** since we last met.
最後に会ってから20年です。

⑯ **It's me**! Remember?
私よ！ 覚えてる？

⑰ **It's nice** to meet you.
お会いできて嬉しいです。

> さて、ここのitは何の代役でしょう？
> ——that〜ですね。
> わかりましたか？

⑱ **It's a waste** that you spent all your time on that.
それに時間をつぎ込んだのはムダでしたね。

⑲ **It's not hard** for me to speak English.
英語で話すのは困難ではありません。

⑳ **It is useless** to worry about that.
それに関して気をもんでも仕方ない。

43 of

＝何でもつなぐ

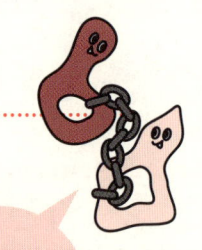

> **I'm a big fan of yours!**
> あなたの大ファンです！

of──「英語脳」になってみよう！

of は、おそらくもっとも多く使われる英単語。でも、学校では「～の」という程度にしか教わりません。

たしかに「～の」と使うケースが多いのですが、それだけではうまく訳せないものもたくさんあるのです。だけど、1つひとつ訳を覚えるなんて……とてもできませんよね。

そこで登場するのが of の感覚。of は、言葉と言葉を「**何でもつなぐ**」というイメージです。

まずは、オーソドックスな「**～の**」から見てみましょう。

the name of the company（その会社の名前）

the door of the house（家のドア）

また、「彼は私の友人です」と言う場合、単純に、He is

my friend. と言ってもよいのですが、
He is a friend of mine.
という言い方もよく使われます。

「すぐ使える！すぐ話せる！」コツ

さて、ここから of のイメージが大事になってきますよ。
This job is of no significance. (この仕事は重要性がない)

job と no significance をつないでいるわけですね。**ofは「モノの性質」を表わすこともできる**のです。
You expect too much of me.
(あなたは私から多くを期待しすぎる)

のように、「**から**」という意味でも使われます。「**私のたくさんの部分」を要求している**、ということですね。また、
He died of a heart attack. (彼は心臓麻痺で亡くなった)

と「死」と「病名」をつなげば「**〜の原因で**」の意味に。
Wine is made of grapes. (ワインはブドウから作られる)

のように**原料と産物をつなぐ**ことも。

このように of は、人やモノを**ピッタリつないで「所有」「性質」「原因」を表わしてくれる**万能接着剤のような単語。このイメージで覚えれば、of を自由に使いこなせるようになります。

「英語脳」になるフレーズ20

① These are friends **of** my father.
彼らは父の友人です。

② Here're some pictures **of** Susan's.
スーザンの（所有する）写真です。

③ I have some pictures **of** Susan.
スーザンの（写っている）写真を数枚持っています。

④ I go by **the name of Sam** here.
ここではサムという名で通っています。

⑤ My daughter Ann, is a girl **of** four.
私の娘のアン、4歳の少女です。

⑥ We had **a plan of playing baseball**.
野球をする予定でした。

⑦ We are **of** the same age.
我々は同い年（の状態）です。

⑧ He is a man **of** wisdom.
彼は知恵の人です。

⑨ She is **an angel of a girl**.
彼女は天使のような女の子だ。

⑩ I had **a feast of a lunch**.
饗宴のようなランチでした。

> 「○○ of ××」で「○○のような××」という意味にもなります。ofの前後が、比喩関係でつながっているのです。

⑪ This is **a piece of art**.
これは芸術作品ですね。

⑫ I live **a little north of Tokyo**.
東京のやや北に住んでいます。

⑬ You cannot **deprive me of my dignity**.
私から尊厳を奪うことはできない。

⑭ This mystery novel **consists of five chapters**.
このミステリー小説は5つの章からなっている。

⑮ Get **a bar of soap** on your way home.
帰りに石けんを1つ買ってきて。

⑯ Give me **a couple of minutes**.
数分ください。

⑰ I need **a pound of hamburger** for dinner.
夕食用にひき肉が1パウンド必要です。

⑱ **speaking of which**...
それに関してだけど……。

⑲ He was found **guilty of all charges**.
彼はすべての容疑で有罪となった。

⑳ It's **generous of you** to give us all presents.
みんなにプレゼントをくださるなんて気前がいいですね。

44 do
=何でもやる

> **Do me a favor.**
> 頼みがあるんだけど。

do──「英語脳」になってみよう！

do はとても「英語らしい」単語です。なぜなら、日本語は「〜が××あります（です）」という表現が多いのに対して、英語は「〜を××する」という表現が多く、それを文字どおり表わすのが、この do だから。

ただし、日本語の「する」がすべて do というわけではありません。たとえば「〜の臭いがする」は It smells like 〜（〜みたいに臭う）と言います。だから、do は「**やる**」と覚えれば一番間違いが少ないでしょう。

では、どんなときに do を使うのでしょうか？

Just do it!（いいからやれ！）

What are you doing?（今、何やってる？）

この2つは、「やる」の意味を端的に表わした例。でも、

What do you do?（ご職業は？）

だと意味が違ってきます。**現在形は「習慣」を示す**ので、**「いつも何をやっていますか」→「ご職業は」**となるのです。

I'm done!（終わった！）

「やる」→「やられる」から**「終わった状態」**を指す形容詞的な用法に転じた例。宿題や仕事が、ぜんぶ片づいたときなどに使えます。

「すぐ使える！ すぐ話せる！」コツ

do は have の次によく使う単語。その理由は、助動詞として使われるから。

Do you like TV?（テレビは好きですか？）

I don't like TV.（テレビは好きではありません）

直訳すれば「好きをしますか？」「好きをしません」ですが、これではあまりにも妙ですよね。

さらには、後ろにくる動詞を強調するときも使います。

Do come in.（入ってください）

このように、do は動詞を助ける"影武者"なので、**日本語には訳されないことが多い**のです。だからこそイメージをつかむ。これが英語の達人への近道です。

「英語脳」になるフレーズ20

① What do you want me to **do**?
私に何をして欲しいの?

② **Do** what you have to.
すべきことをしなさい。

③ **Do** your hair.
(髪をしなさい=) 髪の毛を整えなさい。

④ We **don't do** takeout.
テイクアウトはやっておりません。

⑤ **Do the math**.
計算してみて。

⑥ Lying will **do you no good**.
(嘘は「よい」をしない=) 嘘をついても何もよいことはないよ。

⑦ I was only **doing** 100km/h.
たったの100キロしか出していませんでした。

⑧ **That'll do**.
(それがしてくれる=) それで間に合うでしょう。

⑨ **Do** as you wish.
好きなようにしなさい。

⑩ How **are you doing**?
(どうしている?=) 調子はどう?

do

⑪ I cook **as well as he does**.
私は彼と同じくらい料理がうまい。

⑫ I wanted to go, so I **did**.
行きたかったから、行った。

> doは前に出てきた動詞を代弁することもあります──
> ⑪ does → cook、
> ⑫ did → go。

⑬ **Do** you **drink**?
お酒を飲みますか？

⑭ **Did** you **go** to school yesterday?
昨日学校へ行った？

⑮ I **didn't go** to school yesterday.
昨日学校へ行かなかった。

⑯ I **did study** yesterday.
昨日はちゃんと勉強はした。（強調）

⑰ **Why don't you shut up**!
黙りなさい！（命令文を少していねいに）

⑱ I **don't eat** red meat.
赤身の肉は食べないのです。

⑲ All **done**!
全部終了！

⑳ How do you like your **steak done**?
ステーキの焼き加減は？

45 let
＝したいようにさせる

> Just let it be for now.
> とりあえず放っておけ。
> （＝なるようにさせる）

let──「英語脳」になってみよう！

let は「させる」というイメージです。と言っても強制ではなく、「**したいようにさせる**」──学校で習う let's も、じつは let us の略で、「私たちのしたいようにさせてよ」から「〜しよう」の意味になっただけなんですよ。

Please don't let him get away with that!
（彼を許さないで！）

get away with で「逃れる」。それを「**させない**」わけですから「**許さないで！**」となるわけです。

He let her know the whole truth.
（彼は真実をすべて彼女に知らせた）

真実を知るようにさせた→知らせたんですね。

I'm afraid I'm going to have to let you go.

（残念だけど、君を手放さなくてはならないのだ）

君を行かせる→哀しき「解雇宣告」です。

「すぐ使える！ すぐ話せる！」コツ

　ここからはちょっと上級者向け。let と前置詞を組み合わせて使えると、**グンと表現が豊かになる**んですよ。

The storm let up just as they were arriving home.

（彼らが家に着いたちょうどそのとき、嵐がおさまった）

　家に着くと、**嵐が up**（終わる状態）**させた**。

Oh, come on...let me in on it.（ねぇお願い、私も入れて）

　これは、**私を in**（仲間に入っている状態）**させて**、ということですね。

When does school let out for the summer?

（学校はいつ夏休みになるの？）

　学校が夏に向けて **out**（やっていない状態）**にさせる**のはいつ？　ということ。

　ところで、make や have も「させる」の意味で使えますが、この２つは「強いてさせる」感じ。一方、let は「**どうぞやってください**」**と解放するようなイメージ**で考えれば、使い分けも簡単です。

「英語脳」になるフレーズ20

① My boss **let me take a few extra days off**.
ボスが2、3日余計に休ませてくれました。

② She **let her hair down** and had some fun.
彼女は（髪を下ろさせた→）リラックスして楽しみました。

③ He **let his guard down**.
彼はガードをゆるめました。

④ **Let the chips fall** where they may.
どんな結果になろうとやってごらん。

⑤ Please **let me know** if you can make it to the party.
パーティーに来られるようなら知らせてください。

⑥ **Let it be known** that I totally disagree.
私が反対であることを知っていただこう。

⑦ He would never walk again, **let alone** play football.
彼は歩けない、ましてやフットボールなどできない。

⑧ He was finally **let go** after many run-ins with the boss.
ボスとたくさん口論したあげく、彼は解雇された。

⑨ He was really **let down** after the loss.
彼はその死から本当に沈み込んだ。

⑩ Don't **let me down**.
私をがっかりさせないでね。

let

⑪ He was **let off** without having to go to jail.
彼は監獄へ行くことなく釈放された。

⑫ He **let up on the gas pedal** to slow down.
彼は速度を落とすためにアクセルをゆるめた。(上へあげた)

⑬ His father would not **let up** on him.
彼の父は彼を許さないだろう。

⑭ He couldn't hold on any longer, so he **let go** of the rope.
彼はもうつかんでいられなかったので、ロープを放した。

⑮ **Let's go to** the movies tonight.
今晩映画に行こう。

⑯ **Let go of me**.
私を自由にして。

⑰ **Let's eat**!
さぁ、食べよう！

⑱ Sarah didn't **let on** that Beth had quit her job.
ベスが仕事を辞めたことをサラは口にしなかった。

> let onは「オンの状態にさせる」。転じて「口外する」という意味です。

⑲ The couple **let their basement to** the young bachelor.
夫婦は若い独身男性に地下部屋を貸した。

⑳ **Let's** just forget about it and move on.
そのことは忘れましょう。そして前進しよう。

46 each
=1つひとつ

> **We were made for each other.**
> 私たちは最高のカップルだ。
> （＝それぞれがお互いのために生まれた）

each——「英語脳」になってみよう！

each は「**1つひとつ**」。別々に分けられている感じです。

Each person got a chance to speak.
（1人ずつに話す機会があります）

every person とも言えますが、every が「全体」を指すのに対し、each は**より「個々人」を意識した単語**。

Each to his own. （十人十色）

個々が自分自身に向かう——こちらの好みはあちらで、あちらの好みはこちら、ということですね。

They really loved each other. （互いを愛し合っていた）

1人ひとりが相手を、すなわち「**お互いを**」という意味。まさに十人十色がうまい具合にかみ合った結果ですね。

「英語脳」になるフレーズ10

① There was only one piece of candy **for each child**.
キャンディーは子ども1人に1つずつしかなかった。

② **Each story** has a unique twist.
それぞれの話は独自の展開がある。

③ She grew sadder and sadder with **each passing day**.
日1日とたつにつれて、彼女は悲しくなった。

④ **Each time I see him**, he tells me the same story.
彼に会う（それぞれの機会＝）たびに、彼は同じ話をする。

⑤ **Each** of us have a different opinion.
私たちは各自異なった意見を持っている。

⑥ **Each** ate their fill.
みんなそれぞれおなかいっぱい食べた。

⑦ The students were given **one book each**.
生徒たちには1冊ずつ本が渡された。

⑧ We made $1000, so that's $200 **each**.
1000ドル稼いだから、それぞれ200ドルずつだ。

⑨ They fought **each other** until the bitter end.
彼らは（互いに）（苦い結末＝）最後の最後まで戦い続けた。

⑩ They were at **each other's throats** all day long.
彼らは1日中（互いの喉にいた→）口論していた。

47 some
=いくらか・何らか

> That was some paycheck.
> それは相当な金額の小切手でした。

some──「英語脳」になってみよう！

「いくつかの」と訳すことが多い some。

でも、これでは量が少ないように感じませんか？ 実際には**不特定の量、多量も少量も表わすので**、some は「**いくらか**」と漠然と考えるほうがピッタリきます。

Some people are thieves.（泥棒もいます）

これは全体の割合として少ない人数を指す例ですが、次の文では、反対に多い量を表わします。

It was some time before he left.（彼はずいぶん長居した）

このように前後の文脈で意味が正反対になるのが some の特徴。だから、**あくまでも漠然とイメージしておいたほうが、その都度、的確に意味をつかめるようになる**のです。

「英語脳」になるフレーズ10

① Would you like **some** sugar in your coffee?
コーヒーに（いくらか）お砂糖はいかがですか？

② That will open **some** doors.
それはどこかのカギだろう。

③ You win **some**, you lose **some**.
勝つこともあれば負けることもある。

④ That was **some** trip!
それは相当な旅だった！

⑤ It was **some** distance to the beach.
ビーチまではずいぶん距離があった。

⑥ That was **some** performance!
それはスゴイ演技だった！

⑦ There were **some** 500 people attending.
大体500名が集まった。

⑧ Out in the field were **some** 200 elk.
草原に約200頭のヘラジカがいた。

⑨ **Some** man called last night, but I don't know who it was.
昨夜誰かが電話をかけてきたが、誰だか分からなかった。

⑩ **Some** like it hot. **Some** like it cold.
熱いのが好きな者もいれば冷たいのが好きな者もいる。

48 many

=けっこうたくさん

> Many have not yet arrived.
> まだたくさんの人が来ていない。

many──「英語脳」になってみよう!

manyの意味は「多くの」。どれだけ多いかと言えば「**けっこうたくさん**」というイメージです。

There were many people at the party.
(パーティーにはけっこうたくさんの人がいた)

そしてパーティーといえばアルコール。飲み過ぎれば、

I had one too many that night. (昨日は飲み過ぎた)

「昨日は1杯多すぎた」。つまり、**ここまでなら大丈夫という線を1杯だけ超えてしまった**ということ。まぁ1杯だけでなくてもこう言うのですから、酒飲みのザレゴトですね。

Many failed the test. (大勢がテストに落ちた)

のように「**たくさんの人**」という代名詞でも使えます。

「英語脳」になるフレーズ10

① There were **many people** in line for the bathroom.
たくさんの人がトイレに列を作っていた。

② **How many times** do I have to tell you?
いったい何回私に言わせるの?

③ I told her in **so many words** not to tell anyone.
誰にも言わないようにとあれだけ言葉をつくしたのに。

④ There's been **many a time when** I wanted to quit.
やめたいと感じたときはたくさんあった。

⑤ There's **many a true word** spoken in jest.
冗談で言う言葉のなかに、多くの真実がある。

⑥ There are **many** smart people in this business.
この業界には賢い人がたくさんいる。

⑦ Are you going to invite **many**?
たくさん招待するのですか?

⑧ I want to see **as many sights as possible**.
できるだけ多くの場所を見たい。

⑨ The needs of this company are **many**.
この会社のニーズはけっこう多い。

⑩ **Not many** people can speak English.
ここでは英語を話す人は多くない。

49 so

=こんな・そんな

> **So do I!**
> 私も！

so──「英語脳」になってみよう！

so はとてもよく使われる単語ですが、たった１つのイメージを軸に考えればちゃんと使いこなせます。それがズバリ「**こんな・そんな**」というイメージ。たとえば……、

Hold your camera just so.（そんなふうにカメラを持って）

と手本を見せながら「**こんなふうに**」「**そんなふうに**」とやるときにはsoが大活躍。では、次はどうでしょう？

I'm so happy to meet you again!
（また会えてとっても嬉しい！）

very でもよいのですが、so だと「**ほら、こんなにも！**」というニュアンスを加えることができます。

I like ice cream!（アイスが好き）So do I!（私もよ！）

「右脳」を上手に使って「英語脳」になる！　187

　これは、「私もそんなふうよ」→「私もよ」ということですね。次も、会話でよく使うフレーズです。
Is that so?（本当に？）
　相手の話を肯定的に受ければ「**へぇ、そうなんだ〜**」、否定的に受ければ「**えぇ、そうなの？**」という感じ。

「すぐ使える！ すぐ話せる！」コツ

　so は、「〜するために」「だから」という意味でも使いますが、これも「**こんな・そんな**」で考えれば簡単です。
As you give, so shall you receive.（与えれば授けられる）
「**与える、そんなふうだから授かる**」と理解できますね。
Go to the bathroom now so you won't have to go on the way.（途中で行かなくてすむよう、今トイレに行きなさい）
　途中でトイレに行きたくなったら困ります。**そんなことにならないために**、今行きなさい、ということですね。
It was 6 o'clock or so when he arrived.
（彼が着いたのは6時ごろだった）
　この so は「**そんな**」から「**それくらい**」という意味。6時かそれくらい、つまり「**6時ごろ**」ということです。
　一事が万事で、so は「**こんな・そんな**」。このイメージさえつかめれば、so は本当に便利な単語なのです。

「英語脳」になるフレーズ20

① He's incredibly smart—a genius **so to speak**.
彼は驚異的に賢い。言ってみれば天才。

② **That is so ridiculous**!
そんなばかげている！

> so to speakは「話す＝言葉に表わすとしたらそんな感じ」。つまり「いわば〜」ということ。

③ You are **so in trouble**.
それは大問題ですよ。

④ **So much for that plan**.
そのプランはもうダメだな。

⑤ You can go, **so long as** your father says it is OK.
お父さんがよいと言うかぎり、行っていい。

⑥ The baby didn't **so much as** make a sound.
赤ん坊は泣きさえしなかった。(そんなたくさん音を立てなかった)

⑦ If he can have dessert, then **so can I**.
彼がデザート食べてよいなら、私も食べます。

⑧ You said that I'm short, but **so are you**.
私のことを背が低いと言うが、あなたもです。(そんなふう)

⑨ He likes to hike, ski, snowboard, **and so on**.
彼はハイキング、スキー、スノボ、などなどが好きだ。

⑩ It's chaotic and has been **so** for a long time.
混沌としており、長い間、そのような状態が続いている。

so

⑪ He is intelligent and rich, but **even so**, I don't like him.
彼は知的で裕福。しかしそうであっても、私は彼をどうも好きになれない。

⑫ Remember, I told you **so**.
私そう言ったでしょ。

⑬ As you think, **so** shall you be.
考えれば、そのようになる。

⑭ I forgot to bring my coat, and **so** I'm freezing.
コートを忘れた。だから寒い。

⑮ **So**, it is obvious that we need to vote again.
だから、もう1度投票しなくてはいけないようですね。

⑯ Go to bed early, **so** you won't be sleepy tomorrow.
明日眠くならないように、早く寝なさい。

⑰ Eat right, **so** you can be healthy.
健康でいられるように正しく食事しなさい。

⑱ I plugged my ears **so** as not to hear my boss yell.
上司の叫び声を聞かなくてすむように耳栓をした。

⑲ There were 10 **or so** of us who wanted to leave.
私たちの10人くらいが帰りたがっていました。

⑳ **So**, what should we do?
だから、私たちはどうしたらいいんだ?

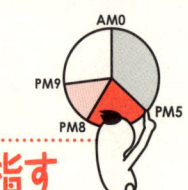

50 then
=ある時点をポンと指す

> We all agree. Well, then, it's decided.
> 全員賛成です。では、決定。

then――「英語脳」になってみよう！

then は「**ある一点**」を「**ポンと指す**」イメージ。

Things were different then.（そのときは状況が違った）

こんなふうに、何かが起きた時点を指すこともあれば、

We finished dinner, and then went to the movies.

（夕食を終えて、それから映画を観に出かけた）

と、時間の流れのなかで「**ある状態**」をポンと指し示すこともあります。また、

I like to go to the mountains every now and then.

（私はときどき山登りに行きたい）

という言い方もできます。直訳すれば「今でもそのときでも」――転じて「**ときどき**」ということですね。

「英語脳」になるフレーズ10

① **Back then** there were no computers or cell phones.
当時はコンピューターも携帯電話もなかった。

② She started crying **right then** and there.
彼女はそのとき泣き出した。(ちょうどそのときその場で)

③ If all goes well, **then** we can proceed.
もしうまく行けば、そのときはさらに前進できる。

④ The first to arrive was Sue; then came Bob, and **then** Jim.
最初に到着したのはスー、そしてボブ、それからジム。

⑤ **If the weather is fine, then** we will go swimming.
天気がよければ泳ぎに行こう。

⑥ We have not been back to China **since then**.
それ以降中国へ戻っていません。

⑦ **Then president**, Jim Dodd, made bad choices.
当時の社長、ジム・ドッドが間違った判断をした。

⑧ It's raining really hard, **and then** there's the strong wind.
非常に強い雨が降っている、そのうえ強い風も吹いている。

⑨ Swimming is fun, **and then** it is also good for your health.
水泳は楽しい、そのうえ健康にいい。

⑩ The movie was boring, **but then** I don't like history.
映画は退屈だった、というか、私は歴史を好きではない。

51 this
＝目の前の一点

> It's going to rain this afternoon.
> 今日は、午後に雨が降るようです。(一番近くの午後)

this──「英語脳」になってみよう！

中学校ですぐに習うのがこの単語。意味は言うまでもなく「これ」「この」ですが、そこから「**目の前の一点**」とイメージすると、英語がもっと使えるようになります。

What's this? (これは何ですか？)

これは単に「**これ**」で通じます。でも次はどうでしょう。

What are you doing this Sunday?
(今週の日曜は何してる？)

「**目の前の日曜日**」と考えると、パッと「**今週の日曜日**」が浮かびますね。それに、手元を示す場合も、

Like this? (こんな具合に？)

やっぱり「**目の前の**」のイメージがしっくりきます。

「英語脳」になるフレーズ10

① I will have **this cake**.
このケーキをいただきます。

② I think you'll find **this book** very interesting.
この本はあなたにはとても興味深いと思います。

③ It usually snows **at this time** of the year.
毎年この時期にはたいてい雪が降ります。

④ **This** is my family.
これが私の家族です。

⑤ Is **this** the proper way to do it?
これは正しいやり方ですか？

⑥ **This is** my 41st birthday.
今日は私の41回目の誕生日です。（これ→この時点）

⑦ **Who is this**?
どちらさまですか？

⑧ **This is** Bob speaking.
こちらはボブです。

⑨ Do you always eat **this much**?
いつもこんなに食べるのですか？

⑩ **This**, that, and the other.
これや、あれや、なんやかんや。

52 that
=自分から離れた一点

> What's that?
> あれは何ですか？

that——「英語脳」になってみよう！

that は「自分から離れている一点」を指す言葉。学校では「あれ」と習いますが、thisが「目の前の」、つまり自分の手元を指すのに対し、that は「**自分から離れている一点**」。自分からも相手からも遠ければ「**あれ**」、自分と相手の中間にあれば「**それ**」という訳になります。

What happened to that old friend of yours?
（例のお前の旧友はどうしている？）

What did you do with that money I gave you?
（君にあげた例のお金どうした？）

どちらも「**あの**」「**例の**」という意味ですね。自分から離れたものを指している感じ、わかりますか？

「すぐ使える！ すぐ話せる！」コツ

　that は、this よりずっと目にする機会が多い単語。その理由は、接続詞としても使われるから。といっても、ややこしくはありません。「**自分から離れた点**」→「**その点**」というイメージで理解すれば、意味がつかめるはず。

He told us that it was snowing heavily.

（彼は雪がたくさん降っていると教えてくれた）

「**雪が降っている**」という「**その点**」を「**教えた**」のです。

It was such bad weather that we decided not to go.

（天気がとても悪かったので、行かないと決めた）

「**天気が悪かった**」という「**その点を理由に**」ということですね。学校で習った「so that の構文」には苦手意識を持っている人もいると思いますが、それも、

I was so happy that I wanted to dance.

（踊り出したくなるほどハッピーだった）

「私はとても幸せだった」――「**その点においてダンスしたくなった**」というだけの話なんですよ。

　このように、that は「**自分から離れた一点**」のイメージ。そうとらえると、使える幅がぐんと広がるのです。

「英語脳」になるフレーズ20

① I haven't seen them **after that**.
彼らにはそれ以降、会っていない。

② What's **that noise**?
あの音は何？

③ Did you like **that movie**?
その映画どうだった？（好んだ→気に入った）

④ I missed **that same old smile of hers**.
彼女のいつもの笑顔が懐かしかった。

⑤ I hate **that tone of his voice**.
彼のあの声のトーンが嫌いなんだ。

⑥ Not **that I know of**...
私の知っているかぎりでは、そうではない。

> このthatは漠然と「自分の知識」を指しており、「私の知っているthat」ではない、という感じ。

⑦ Don't give me **that look**.
そんな目で見ないでよ。（look＝表情＝目つき）

⑧ Did you try it this way, or **that way**?
この方法でやってみる？　それともそっちの方法？

⑨ Who is **that standing by the door**?
ドアのところに立っているあれは誰？

⑩ Is **that** the reason why you came here?
君が来た理由ってそれ？

that

⑪ **That**'s what I wanted to do for a long time.
それこそが私がずっとしたかったことです。

⑫ Is it me **that you're looking for**?
あなたが探しているのは私ですか？

⑬ Nobody expects **that much** from you.
誰もあなたにそれほど期待していないよ。

⑭ I didn't know it was **that hard**.
そんなに大変とは知らなかった。

⑮ You're asking me **that much** for this junk?
このガラクタに、それだけ払えというのか。

⑯ Don't give me **all that jazz**.
そんなザレゴトはよしてくれ。

⑰ Did you know **that they were cousins**?
彼らが従兄弟だって（その点を）知ってた？

⑱ It seems **that you have something to do with this**.
この件にあなたが関係しているように（その点）見える。

⑲ Make sure **that everything is back in place**.
すべて元通りに（という点を）しなさい。

⑳ She is so kindhearted **that everyone loves her**.
彼女はとても優しいので、みんな彼女を大好きだ。

53 there
=ちょっと離れたところ

> Don't worry.
> I should be there soon.
> 心配しないで、すぐに行くから。

there──「英語脳」になってみよう！

there は here と対になっている単語。here の「ここ」以外の「**少し離れた場所**」というイメージです。

She's not here; she's over there.
（彼女はここにいない。そこにいるよ）

これだと、here と there の対比がよくわかりますね。

They ate there yesterday.（昨日そこで食べた）

と、このように特定の場所を指す場合などにも使えますが、there が本当に便利なのは、「there + be 動詞」を組み合わせて、「〜がある」「〜がいる」を表現できること。

There is a pen on the desk.（机の上にペンがある）

この there は文の頭にありますが、主語ではありません。

もともとは A pen is there 〜 . だったのが倒置して、こうなっているんです。主語は「a pen」で、それが「**そこに (there) ある (is)**」ということ。

「すぐ使える！すぐ話せる！」コツ

ほかにも「そこ」を指してこのように使われます。

There you are!（ああ、そこにいたのか！）

このフレーズは場所に限らず、「**それだ！**」とか「**そう、その調子！**」のようにも使えます。「ちょっと離れたところ」で起きていることを見て「**それでいいよ！**」という感じ。

同様の使い方で、何とかできるところまでこぎ着けたら、

There you go. I knew you could do it.

（そらできた。できるとわかってたよ）

などと言います。go は「順調にいく」という意味です。そして注意を向けたいときに there を使うと、

There! Are you satisfied now?（そら、満足かい？）

というように「**そら！**」の意味になります。

単に「そこ」という「場所」を示すだけではなく、客観的に、つまり「**少し離れたところ**」から見て「**そらね**」と**指し示す**感じ。このイメージで使えるようになれば、ぐっとネイティブに近い表現ができるようになります。

「英語脳」になるフレーズ20

① It's right **there on the table**!
テーブルの上にあるじゃない。

② **That's** neither here nor there.
そんなことは重要（なポイント）ではない。

> 大事なのはhere（ここ）でもthere（あそこ）でもない。ポイントがズレているということ。

③ It's a jungle **out there**.
外の世界はジャングルのように危険だ。

④ They stopped him **right there** before he could finish.
彼は終える前に、止められてしまった。

⑤ He stopped **there** while typing to answer the phone.
電話に出るためにそこでタイプを中断した。

⑥ What are you doing up **there**?
そこで何しているの？

⑦ I see you **there**.
そこにいるね。

⑧ Her anger was justified **there because** of him.
彼のせいで彼女の怒りは当然だ。

⑨ I've been **there** thousands of times!
そこには何度も何度も行ったよ。

⑩ Are you from **there**, too?
あなたもそこから来たの？

there

⑪ **Been there**, done that.
そこにいたこともあれば、それをやったこともある。

⑫ **There** is no way I am going tonight!
今晩出かけることはありません。

⑬ **There isn't** any room for you **in there**.
そこにはあなたの場所はないよ。

⑭ **There aren't** enough chairs to go around.
みんなに行き渡るだけのイスがない。

⑮ Look! **There** he goes!
ほら、彼がいる!

⑯ **There**! I'm finished!
そら、終わった!

⑰ I did it anyway! **So, there**!
やったよ。どうだ!

⑱ **Hi, there**!
やあ!

> 「ねえ、そこの人!」というイメージ。友だちに出くわしたときなど、日常会話ではごく頻繁に使う表現です。

⑲ **There** it is!
そこにあった!

⑳ **There are** so many things I can do for you.
私があなたのためにできることは、たくさんある。

54 if

=もし!

It'll be better if we take a train.
電車で行ったほうがいいかも。
(もし電車で行ったら、そのほうがいい)

if──「英語脳」になってみよう!

ifは何でも想定してみる「もし!」というイメージ。

一番典型的なのは、「もし～ならば」ですね。

I'll take you home if you wish.

(もしお望みならばお送りしましょう)

これが even(たとえ～)とくっついても同じです。

I have to go even if it is raining.

(もし雨が降ったとしても行かなくちゃ)

さらに少し変化して、「～かどうか」とも言えます。

I was wondering if you could come.

(あなたが来られるかどうか知りたいのですが)

「定かでないこと」の話をするときはすべて if なのです。

「英語脳」になるフレーズ10

① **If** you want it, you can have it.
もし望むなら、差し上げますよ。

② **If I were you**, I would stay home tonight.
(もし私があなただったら=) 私なら今晩は家でじっとしているよ。

③ **If so**, you're in big trouble.
もしそうなら、君にとって一大事だよ。

④ **If only** you could have made it.
(もし君が来てくれていたら=) 君が来てくれさえしたらなぁ。

⑤ **What if** he doesn't like me?
彼が私のこと気に入らなかったらどうしよう。

⑥ I'll check **if it's OK**.
OKかどうか確認してみます。

⑦ You'll finish it **even if it takes all day**.
1日かかってもやるのですよ。

⑧ He'll do that work **even if he is tired out**.
彼は疲れていてもその仕事をやるでしょう。

⑨ Tell me **if you like it or not**.
気に入ったかどうか教えてね。

⑩ **If** this doesn't work, we are in trouble.
もしこれがうまくいかなかったら、われわれは問題を抱えることになる。

55 on
=ピタッとくっついている

What's on TV?
今テレビで何やっているの？

on──「英語脳」になってみよう！

on は、何かの表面に「ピタッとくっついている」というイメージ。たとえば、これなんかはよくある風景ですね。

My cat likes to sleep on my lap.
（うちの猫は私のひざの上で寝るのが好きだ）

ひざの上に乗っているわけですから、まぁ「**くっついて**」**います**よね。ただし on は上下の「上」とは限りません。on は**物理的にくっついた状態**を指すのです。

Why don't you hang them on the wall?
（なぜ壁にかけないの？→壁にかけたら？）

「壁にかける」＝**壁の表面にくっついている**わけですね。

また、リンゴが木になっている場合、枝の上部に実がな

るわけではありません。でも、英語ではこう言います。

Apples grow on trees.（リンゴが木になっている）

実際は枝からぶら下がっているのですが、枝に**くっついている**ので on を使います。ちょっと変わったところでは、

She is on drugs.（彼女は麻薬中毒だ）

薬物に「くっついて乗っかる」「中毒」です。

「すぐ使える！ すぐ話せる！」コツ

では、これはどうでしょう？

You are on the right track.（君の方向性は正しいよ）

これも、目的地までを結ぶ**正しい路線にくっついている**→乗っているイメージ。

そこから、「〜の状態でいる」様子もわかりやすいですね。

Keep your dog on the leash.（犬はつないでおきなさい）
Go on green, stop on red.（青で進め、赤では止まれ）

さらに、「スイッチオン」とか「オンとオフ」のような「活動中」を表わす使い方だと、

I'm on it!（やるぞ〜！）

といった表現もよくあります。「私が活動中の状態」ということで、これも（その活動を暗示している）**it にくっついているイメージ**です。

「英語脳」になるフレーズ20

① I usually go **on** a bus.
　普段バス（に乗って）で向かいます。

② I found a stain **on** my shirt.
　私のシャツ（の上）にシミがありました。

③ Don't forget **to put your coat on**.
　コートを着るのを忘れずに。

④ I don't have **any cash on me**.
　現金は持ち合わせていません。

⑤ I'm **on duty**.
　仕事中です。（任務中）

⑥ He is **working on this case**.
　彼はこの件の担当です。

⑦ Are you **on medications** of any kind?
　何か常用しているお薬はありますか？（薬に乗っかる）

⑧ It's **now on sale** at your local bookstore.
　お近くの書店で販売中です。（販売が活動中）

⑨ I'm **on my way home**.
　家に帰る途中です。

⑩ I live in **a city on the lake**.
　湖のそばの街に住んでいます。（くっついている）

on

⑪ You'll see it **on your left**.
あなたの左（側）に見えます。

⑫ Call me **on my cell**.
私の携帯に電話をかけて。

⑬ I've seen it **on TV**.
テレビで見たことがあります。

> 新聞だとin newspaper、テレビだとon TV。新聞は「"中に" 情報が放り込まれている」、テレビは「"上" に情報が貼りついている」とイメージするといいでしょう。

⑭ Don't die **on me**.
死なないで。（私のところで）

⑮ **Hang on**!
つかまって。（くっついて）

⑯ I'm leaving **on Saturday**.
土曜日（日時の上）に出発します。

⑰ Drinks are **on the house**.
飲み物は店のおごりです。（店に付いている）

⑱ You **left the TV on**.
テレビをつけっぱなしでしたよ。（活動中）

⑲ **Keep moving on**.
先へ進みつづけなさい。（活動する）

⑳ There's nothing **on tonight**.
今夜は予定がない。（活動していない）

56 over
＝上のほう

> He looked over the report thoroughly.
> 彼はレポートをじっくり読んだ。

over──「英語脳」になってみよう！

overは「上のほう」、それも一点ではなく「**上のほう全体**」というイメージ。人やモノの上部を越えていったり、覆ったり……とにかく「**広く上のほう**」で何かが起きている、そんなイメージの言葉です。たとえば、こんな感じ。

The clouds are gathering over the mountain top.
（山の頂上に雲が集まってきている）

山全体の上のほうを、雲が覆っている感じですね。

She looked over the edge of the building.
（彼女はビルのヘリからのぞき込んだ）

ビルの屋上にでもいるのでしょう。**そんなに上のほうから下をのぞき込む**なんて、ぞっとしますね。

He tripped over a toy in the living room.

（彼はリビングルームのオモチャにつまずいた）

これは、**おもちゃの上部で足を引っかけた**ということ。

She lives over in the U.S.（彼女はアメリカに住んでいる）

こちらは空間を越えるパターン。「**ここから空間を越えたところにあるアメリカに住んでいる**」というニュアンス。**太平洋の上空をはるかに越えていったイメージ**ですね。

「すぐ使える！ すぐ話せる！」コツ

時間を越える場合もoverです。

Can I stay over tonight?（今日泊まってもいい？）

夜を越える——つまり「**泊まる**」ということですね。

She picked him over all the rest of the guys.

（彼女は他の男たちから彼を選んだ）

こちらは、**複数いる男子を「どれにしようかな」と指でなぞって、最後に「彼に決めた！」という感じ**です。

このように、over は「**上のほう**」のイメージ。on が何かにくっついた状態を指すのに対して、over はあくまで「**上のほう**」。

だから「**上を越えて移動する**」というニュアンスでも使えるのです。

「英語脳」になるフレーズ20

① It looks like it's **all over** with.
どうもおしまいのようだ。(すべてが越えて行ってしまった＝終わる)

② **The sign over the door** said, "Private--Keep Out."
扉にかかった看板に「関係者以外立ち入り禁止」とあった。

③ There was a branch hanging **over the street**.
木の枝がその通りの上まで張り出していました。

④ The man fell **over** the cliff.
男が崖からその先へ落ちた。

⑤ **Just over** the hill there, you'll run into a gas station.
その丘を越えるとガソリンスタンドに行き当たります。

⑥ The horse **jumped over** the fence.
馬はフェンスを跳び越えた。

⑦ The man **stepped over** the garbage in the street.
その男は道のゴミを飛び越えた。

⑧ The bug crawled **over the stick**.
虫が棒キレの上をはい渡った。

⑨ He painted **over** the old paint on the wall.
彼は壁の古いペンキの上に塗った。

⑩ He put a blanket **over the sleeping baby**.
彼は寝ている赤ちゃんに毛布をかけた。

over

⑪ There are maple trees **all over this area**.
この辺り一面にはカエデの木がはえている。

⑫ The ball went way **over there**.
ボールはあっちの方へ転がって行きました。

⑬ He will work on the project **over the weekend**.
彼は週末をこのプロジェクトに費やすつもりだ。

⑭ Let's gather at my place **over Christmas**.
クリスマスは私の家で過ごそう。

⑮ That was **over 10 years** ago!
もう10年以上も前のことだ！

⑯ It's **over 30 miles** to the next gas station.
次のガソリンスタンドまで30マイル以上あります。

⑰ I would choose **coffee over tea** the majority of the time.
たいてい、私は紅茶よりコーヒーを選びます。

⑱ Can we talk about this **over the phone** later on?
後でまたこのことを電話で話せる？（電話線の上で）

⑲ Can we talk about this **over coffee** tomorrow?
明日コーヒーでも飲みながらこの件について話しませんか。

⑳ I heard the news **over the radio**.
そのニュースをラジオで聞いた。

57 up
=上へ上へ

> **Why don't you cheer up?**
> 元気だしなよ！（元気を持ち上げる）

up──「英語脳」になってみよう！

upは「上へ」と方向を表わす単語。それも「何となく上のほう」ではなく、「**上へ上へ**」というイメージです。

Balloons flew up.（風船が上昇した）

Stand up!（立ちなさい！）

と、**引っ張り上げられたり、何かが起き上がったり**するときは、たいていup。

Don't bring that up again.（その話題を持ち出さないで）

これも、**埋もれていた話題を、また見えるところまで引っ張り上げる**とイメージすればわかりやすいですね。

upは「上へ上へ」──となれば次もわかるはず。

Don't stay up too late.（夜更かしはやめなさい）

体が「上に」ある——つまり**「起き上がっている状態」**のままでいることから、「**夜更かし**」となるのです。

さらには、こんな言い方も。

I'm up for it.（私がやるよ）

これは「**立候補する**」とか「**やる気あるよ！**」という意味。**手をまっすぐ上げて、名乗り出ている感じ**です。

「すぐ使える！ すぐ話せる！」コツ

しかし、ずっとずっと上がっていくわけにもいきません。

どこかに必ず果てがある——その終点を指して、

Time is up.（時間切れです）

Finish up your homework.（宿題を終わらせてしまいなさい）

という具合に「**尽きた**」「**終わった**」の意味でも使います。「上」を意味する単語として、ほかにも on とか over がありますが、その違いってわかりますか？

じつは、この3つの使い分けはじつに簡単。on が何かの表面に「くっついている」のに対し、**up は「上方」という方向**、さらに over は上方の広い範囲を指しているのです。

up は空を指さして見上げている感じですね。

「英語脳」になるフレーズ20

① **What's up**?
最近どうだい?

> 「何か起こっているものはある?」といったところから「最近どう?」「何かいいことあった?」というニュアンスに。友だち同士でよく言う表現です。

② Frogs **jump up**.
カエルは跳び上がります。

③ **Sit up straight**.
背筋を伸ばして座りなさい。

④ We **climbed up** the stairs.
私たちは階段を上がりました。

⑤ What did you **come up with**?
何が見つかった?(何かが見えるところに出てくる)

⑥ Everyone thought that he should **grow up**.
みんなが彼はもっと大人になるべきだと思っていた。

⑦ **Come up here** and let me introduce you.
ここへ来てあなたを紹介させてください。

⑧ **Pack it up**! Let's go.
荷造りして、出発しよう。

⑨ Land prices eventually **go up**.
土地の価格はいつしか上昇する。

⑩ **Drink it up**.
飲み干せ。

up

⑪ Let's **travel up north**.
北上しましょう。

⑫ **Speak up**!
大きな声で！

⑬ You're **up** next.
次はあなたの番です。（打席などに立つ）

> 順番に舞台に「上がる」ようなイメージです。

⑭ Are you **up** yet?
もう起きてる？

⑮ I like **up** music.
調子のよい音楽が好き。

> 気分やテンポが"上がる"のもup。アッパーな状態ですね。

⑯ Our business is **on an up cycle**.
商売は上がり調子で順調です。

⑰ I had my **ups and downs**.
有為転変を体験してきました。（上がったり、下がったり）

⑱ We are **two goals up**.
2点差で私たちが勝っています。

⑲ **Heads up**!
気をつけろ！（顔を上げる）

⑳ She **hung up** on me.
彼女に電話を切られた。（壁の受話器台にかける）

58. down
=どーんと落ちる

> **Don't let me down.**
> がっかりさせるなよ。

down——「英語脳」になってみよう!

down は何でも下へと向かわせる単語。モノも価格も気分も……とにかく「**どーんと落ちる**」イメージです。

He sat down in the chair.（彼はイスに腰かけた）

立っている状態からみれば、座ったり、寝ころんだりするのは down になるわけですね。だからこれも……、

Don't fall down and hurt yourself.

（ケガするから転ばないように）

人が**どーんと落ちる**→転ぶという意味。ではこれは?

The sun went down below the horizon.

（太陽が地平線の下に沈んでいった）

地平線の下に**どーんと落ちる**——太陽がみるみる沈んで

いく感じですね。また日本語でも「**下る**」と言うように、

They flew from New York down to Miami.

(彼らは飛行機でNYからマイアミへ下った)

とも。地図ではマイアミはNYの下にありますからね。

「すぐ使える！ すぐ話せる！」コツ

今度は目に見えないモノ。「**下のほう**」を想像すると、

The price of gas came down this week.

(ガソリンの値段が今週下がりだした)

価格などが下がる様子も表わしますし、

Turn down the radio! I'm trying to sleep!

(ラジオのボリューム下げて！ 寝ようとしてるのに！)

The storm died down. (嵐は止んだ)

など、音量や嵐、ほかに気分や運などが、**アッパーな状態からダウナーな状態になるとき**に使います。そして「ダウンする」と言えば、機械などがうまく作動しないことも。

The network has been down all morning.

(その回線は午前中ずっと不通になっている)

こんなふうに意味の幅が広がりますが、基本的には何かが「**どーんと落ちる**」イメージで考えれば、どれも難なく正確に意味がつかめるのです。

「英語脳」になるフレーズ20

① She **fell down** the stairs.
彼女は階段を転がり落ちた。

> 「get down to work＝仕事に向かって落ちる」で集中するという意味になるんですね。「没頭」という感じです。

② He **slid down** the hill.
彼は丘をすべり降りた。

③ He **fell down** and skinned his knee.
彼は転んでひざをすりむいた。

④ They **got down to work** the day before the deadline.
締め切り前日に彼らは真剣に仕事した。

⑤ If you feel sick, go **lie down**.
具合が悪ければ横になりなさい。

⑥ They **drove all the way down** to Mexico from Canada.
彼らは車でカナダからメキシコへ下った。

⑦ I'm going to wait until the prices **come down**.
値段が下がるまで待つつもりだ。

⑧ The car **slowed down** and then came to a stop.
車はスピードを落として、止まった。

⑨ All right you kids, **keep it down**.
さぁ子どもたち、静かになさい。

⑩ The party didn't **die down** until after midnight.
パーティは深夜すぎても静かにならなかった。

down

⑪ The kids didn't **settle down**.
子どもたちは静かにしなかった。

⑫ You will remember it better if you **write** it **down**.
紙に書いたほうが忘れないよ。

⑬ The restaurant will **shut down** next month.
そのレストランは来月閉店する。

⑭ He **felt** really **down** after he lost the race.
レースに負けて彼はひどく落ち込んだ。

⑮ He **downed** his opponent with one swing of his fist.
彼は一発で敵を倒した。

⑯ James often **talks down** to his clients.
ジェームズはしばしば顧客を見くびるような態度を取る。

⑰ He **fell** face **down** into the mud.
彼は顔から泥に突っ込んだ。

⑱ The game **came down** to the last play.
ゲームは最後の1プレイに差しかかってきた。

⑲ He **looked down** at the ground.
彼は地面を見下ろした。

⑳ It **comes down** to whether he likes it or not.
それは彼が好きか、そうでないかにかかっている。

59 by
=ピッタリ寄り添う

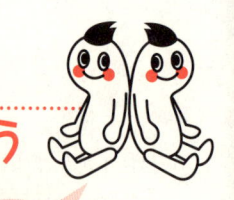

> **Stand by me.**
> 私のそばにいて。

by──「英語脳」になってみよう！

byのイメージは「**ピッタリ寄り添う**」。人でもモノでも、「**すぐそば**」と言うときは、たいてい by を使います。

I live by the school.（学校のそばに住んでいる）

これはそのまま「〜のそばに」で通じる例ですね。でも、寄り添うものによって、訳はさまざま。たとえば……、

as time goes by（時が経つにつれて）

「時間」が、そばを通り過ぎるわけですね。

I go to school by train.（電車で通学する）

道具や手段も、言ってみれば自分の「そば」にあります。

では、こんな場合は……？

We work by the rules.（ルールに則って仕事する）

ルールに**ピッタリ寄り添って**仕事しているわけです。

I cut my finger by mistake.（誤って指を切ってしまった）

　mistake＝**誤りが寄り添ってしまった**感じです。あまりうれしくありませんね。

We won the game by 1 point.（1点差で勝った）

「私たちは勝ちました。その原因は1点」ということですが、**1点が寄り添ってくれたおかげ**で勝てたんですね。

「すぐ使える！ すぐ話せる！」コツ

　by は of, to, in, on, at などと並んでよく使う単語。人やモノ、場所などがうしろにくる場合は、そのまま「**〜のそばに**」の意味になります。

　near や close to も「近く」ですが、by にはそれらの中で**一番近く**──「**すぐそば**」というニュアンスがあるのです。

　では、by のうしろに「時間」がくるとどうなるでしょう？ at がズバリその時間を指すのに対し、by はその時間「まで」ということ。こんなふうに使い分けます。

I'll be back at 5.（5時に戻るよ）

I'll be back by 5.（5時までに戻るよ）

　5時までのどの時間に戻るかわからない──言ってみれば、5時までの時間がピッタリ**寄り添っている**感じですね。

「英語脳」になるフレーズ20

① I caught him **by the arm**.
彼の腕をつかまえた。(腕の部分で)

② There's a bank **by the supermarket**.
スーパーのそばに銀行があります。

③ The man **standing by the tree** is my father.
あの木のそばに立っているのが私の父です。

④ I see a cabin **by the lake**.
湖の畔に小屋が見えます。

⑤ Here, hold this table **by the leg**.
ほら、テーブルの脚のところをつかんで。

⑥ I don't know him **by name**.
彼の名前を知らない。

⑦ We just **drove by your place**.
たった今あなたの家の横を通りました。

⑧ Express trains **pass by our station**.
急行は私たちの駅を通過します。

⑨ We missed the last train **by a few minutes.**
数分差で終電に乗り遅れました。

⑩ 12 **divided by 3** equals 4.
12を3で割れば4です。

by

⑪ You get paid **by the hour**.
給料は時給で払われます。

⑫ It's getting colder **day by day**.
日に日に寒さが増します。

⑬ Let me go through the list **one by one**.
リストを1つずつ確認していきます。

⑭ I'll **drop by your house** on my way home.
帰る途中にあなたの家に寄ります。

⑮ It's cheaper to go **by bus**.
バスで行ったほうが割安です。

⑯ Let me know **by e-mail**.
Eメールで知らせてください。

⑰ He angered his coworkers **by being tardy everyday**.
彼は日々の遅刻のせいで同僚を怒らせた。

⑱ It's written **by Shakespeare**.
それはシェークスピアによって書かれました。

⑲ You were supposed to come home **by 7**.
あなたは7時までに帰ることになっていたはずです。

⑳ I'll finish it **by tomorrow**.
明日までには終わらせます。

60 with

= 一緒に

> **Gone with the wind**
> 風と共に去りぬ

with——「英語脳」になってみよう！

with は「**一緒に**」と習いましたが、まさにそのとおり。

Come with me.（一緒に行きましょう）

I live with my parents.（両親と一緒に住んでいます）

The total will be $10 with tax.（税込で合計10ドルです）

ここまでなら文字どおり「一緒に」でも十分通じますが、

Are you with me so far?（ここまではわかる？）

となると、「**一緒についてくる**」というニュアンスになります。また**道具を使うときも** with ですよ。

See it with your own eyes.（自分の目で見てごらん）

自分の目と一緒に見てみなさい→目を使って、という意味ですね。

「英語脳」になるフレーズ10

① I'll be **with** you in a moment.
少々お待ちください。(店員などが呼び出されて)

② I'd like my coffee **with** cream and sugar.
コーヒーはミルクと砂糖を付けてください。

③ Why don't you stay **with** us tonight?
今晩はうちに泊まって行ったら?

④ You have been **with us** for more than 10 years.
あなたはここで10年以上も働いて(一緒に)いますね。

⑤ You are **a man with a lot of humor**.
あなたはユーモアあふれる人ですね。

⑥ I'm looking for **an actor with blue eyes**.
青い目をした俳優を探しています。

⑦ It's hard to use chopsticks **with my left hand**.
左手で箸を使うのは難しい。

⑧ I can't sleep **with all these lights on**.
電気がついていると寝られません。

⑨ I **broke up with him**.
彼と別れました。

⑩ I like to write **with a pen**.
ペンで書くほうがいい。

4章

「日常会話」でサクサクと「英語脳」になる！

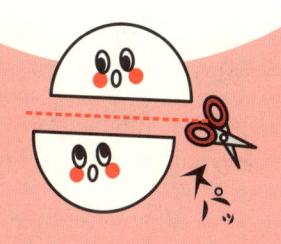

61 find
=発見する

> **Let's find out!**
> 考えてみよう！（はっきりさせよう）

find──「英語脳」になってみよう！

find はモノを「**発見する**」という意味。たしかに、

Did you find your car key?（車のカギ見つかった？）

とカギをなくした人に聞いたり、失業した人には

I'll find a job for you.（仕事の空きを見つけてあげるよ）

と励ましたり。でも、これだけではありません。

find は see＝「見る」や look＝「ジッと見る（探す）」を経て、find するのです。つまり「**見る**」から「**見つける**」、そして次には「**わかる**」。こうなると、find は、「理解する」「見出す」といった意味にもなるのです。

ぜんぶの意味を合わせて、とにかく何でも「発見する」という感じ。たとえば、ハリウッド映画でしばしば、

I found out that the man had died several years ago.
（その男は数年前に死んでいたことがわかった）

というセリフがあります。ある男について調べてみたら、すでに死んでいることがわかった——その事実を「発見した」ということです。

「すぐ使える！ すぐ話せる！」コツ

では、次の文はどうでしょう。

I found a man in my son.（息子が男になった）

まさか、わが子の中に男を発見……！ ではなくて、パパは息子に、ハッキリと「男」を見出したのです。

加えて、findを使って人ごとのように自分を表現することもあります。たとえば、こんな場合。

I woke up to find myself in a hospital.
（気づけば病院にいた）

事故にでも遭って気を失っていたのでしょう。気づいたら、**自分が病院にいることを発見した**わけです。

このように find は、物理的に目に見えるモノから、ものごとの原理や性質に至るまで、見たり、探したり、考えたりした後に、とにかく「発見」します。紆余曲折を経ても必ずお宝を発見するインディ・ジョーンズのような単語。

「英語脳」になるフレーズ20

① I **found** my wallet.
（なくしていた）財布を見つけた。

② Did you **find** a present for mom?
お母さんへのプレゼント何にした？

③ I **can't find** the answer.
答えがわからない。

④ Let's **find** the answer.
答えを考えてみよう。

⑤ Where can I **find** bug repellant?
虫除け剤はどこですか？

⑥ **Find** a way out of here.
出口を探してくれ。

⑦ I **found** a wallet in the park.
公園で財布を拾った。

⑧ You'll **find** a lot of foreigners in Kyoto.
京都ではたくさんの外国人を見かけますよ。

⑨ You can **find** all kinds of fish at Tsukiji.
築地ではたくさんの種類の魚を見かけます。

⑩ I **found** it impossible.
無理だとわかりました。

> 見かける、拾う、わかる――ぜんぶfindでOK！

find

⑪ He finally **found** sushi delicious.
彼はようやく寿司がおいしいと気づいた。

⑫ Did you **find out** your schedule?
スケジュールはわかりましたか？

⑬ Where can I **find** you?
どこで会える？

⑭ I **found my tongue**.
やっと話せるようになった。

⑮ I finally **found** the one.
ようやく運命の人を見つけた。

⑯ **Find out** who he is.
彼が誰だか調べて。

⑰ **Find out** what he wants.
彼の用件を聞いて。

⑱ Where is **the lost and found department**?
遺失物コーナーはどこですか？

> 「lost and found＝失くされた＆見つけられた」で遺失物という意味になるのです。

⑲ The jury **found** the defendant to be guilty.
陪審員は被告を有罪と評決した。

⑳ He **found** it quite amusing.
彼はそれがとても面白いということに気づいた。

62 know
=知ってる!

> I've known him for years.
> 彼とは長年のつきあいだ。
> (彼を長年知っている)

know——「英語脳」になってみよう!

「ちょっと」から「かなり」まで、know は幅広い単語です。

I know him!(彼を知ってるよ!)

と「**軽く知っている**」こともあれば、

How did you know I was coming?

(来るってなぜわかったの?)

と、「**推測**」を含ませることも。さらには、

He knows sake.(彼は酒のことをよく知っている)

これは、**ツウ**ってことですね。

もちろん「知っている」=「**覚えている**」のですから、

I know my lines.(セリフは暗記してるよ)

とも言えるのです。

「英語脳」になるフレーズ10

① Just so you **know**.
念のため。(あなたは知っているでしょうけど)

② Do you **know** anything about it?
それについて何か知っていますか?

③ Only if I **knew** it.
それを知っていたらなぁ〜。

④ He is **well known** to Japanese.
彼は日本人にはよく知られている。

⑤ She **doesn't know** how hard that is.
彼女はことの困難さに気づいていない。

⑥ They **know** how to entertain people.
彼らは人の喜ばせ方をよくご存じですね。

⑦ You **know** what?
(これ知ってる?=) あのね。

⑧ I **know** what I have to do.
何をすべきかはわかっている。

⑨ **Who knows**!
誰にもわかるものか!

⑩ I **knew** he was mad by the tone of his voice.
声の様子で彼が怒っていることがわかった。

63 write
＝文字を書く

> It's written in the stars.
> それは運命だ。(星に書かれている)

write──「英語脳」になってみよう！

write はいたってシンプルな単語で、意味は「書く」。しかも「**文字を書く**」だけ。基本的に **write は"文字担当"**なので、絵を「描く」場合は draw, paint などを使います。

He wrote a message.（彼はメッセージを書いた）
I'm writing a letter to my family.（家族に手紙を書いてる）
Get something to write with.（筆記用具を準備しなさい）

メッセージも手紙も、基本は文字ですね。そして書くために準備するのは……、もちろん筆記用具です。

I've written a couple of songs.（歌を2つ作った）

歌や曲のように目に見えないものでも、「歌詞を書く」「音符を書く」とイメージすれば write がピッタリなのです。

「英語脳」になるフレーズ10

① You have to **write** your name here.
ここに名前を書いてください。

② I couldn't make out what's **written** on the wall.
壁に書いてある文字の意味がわからなかった。

③ I usually **write** with a typewriter.
普段タイプライターで書きます。

④ **Do not write** with ballpoints.
ボールペンで書かないでください。

⑤ I'll **write** you everyday.
あなたに毎日手紙を書きます。

⑥ I'm **writing** instructions for operating this machine.
この機械の取り扱い方法を書いておきます。

⑦ An author is one who **writes**.
作家とは物を書く人のことです。

⑧ This thing **writes**!
これはよく書ける！

⑨ I need it **written down**.
それを書いてください。

⑩ Sorry, my **handwriting** is terrible.
私の手書き文字は読みにくくてすみません。

64 give
=どうぞ、とあげる

Give me a few minutes to think.
少し考える時間をください。

give――「英語脳」になってみよう！

give は「与える」でしたね。うれしいことに、この単語は感覚としてはそれほどむずかしくありません。「**どうぞ、とあげる**」感じ、それだけ。たとえば……、

I'll give you a hint.（ヒントをあげよう）

私があなたへ、ヒントをあげる。「**どうぞ**」とヒントを**示している**イメージです。次はとてもよく使う表現。

Give me a break.（勘弁してくれ）

「私に休憩をちょうだい」から「**勘弁して**」となります。

Give your laundry to the housekeeper.
（洗濯物をメイドに渡して）

洗濯物をメイドにあげるわけじゃありませんよ。ホテル

などで洗濯してもらうために**手渡す**、これも give です。

Let me give you a hand.（手を貸しましょう）

手をあなたにあげる、すなわち、「**手を貸す**」となるわけです。また、言葉を「あげる」とこんな意味にも。

Don't give any excuses.（言い訳をするな）

ぐずぐず言い訳を与えているんです。説明をする場合にも give an explanation と、これも言葉を与えます。

とにかく**いろいろなモノを**「**手渡す**」単語です。

「すぐ使える！ すぐ話せる！」コツ

今度の例文は、少しひねった使い方。わかりますか？

She gave birth to a cute baby.

（彼女はかわいい赤ちゃんを産んだ）

彼女は誕生をあげた。何に？ かわいい赤ちゃんに。すなわち**赤ちゃんを産んだ**のですね。次はどうでしょう。

I don't give a damn about it.（知ったことではない）

直訳すれば「私はそれに関して少しばかりもあげない」──すなわち、「**ちっとも関心を払わない**」ということ。よく使われる表現です。

こんな具合に、「**どうぞ、とあげる**」イメージをつかめば、give もしっかり使いこなせるはずです。

「英語脳」になるフレーズ20

① She **gave** out candy to the children.
彼女は子どもたちにキャンディーを配った。

② I already **gave** you the allowance.
もうお小遣いはあげたでしょう?

③ Let me **give you some advice**.
いくつか忠告しておこう。

④ **Give** your coat to the man in the cloak room.
クロークの人にコートを渡しなさい。

⑤ Please **give** this note to him when he comes in.
彼が来たらこのメモを渡してください。

⑥ Let me **give a toast**.
乾杯させてね。

⑦ Cows **give** milk.
牛は牛乳を供給します。

⑧ **Give me what you got**.
(私に与える→見せる) あなたの全力を出しなさい。

> 上司やコーチが言うのなら「全力を出しなさい」。ところがこれが強盗だったら……、文字どおり「持っているものを全部よこせ!」という意味に。

⑨ I **gave** him a chance to think it over.
彼に考え直す時間をあげました。

⑩ **Give my best regards** to your folks.
ご家族によろしくお伝えください。

give

⑪ This book will **give** you the answer.
（本が答えを与える＝）この本に答えがあるでしょう。

⑫ **Let me give** you an example.
例を挙げましょう。

⑬ Did she **give** you the date and the details?
（彼女が与える＝）彼女に日時と詳細を聞いた？

⑭ You always **give** me trouble.
いつも面倒を起こしてくれるね。

⑮ **Give me a little peace**, won't you?
（平穏を与える＝）少し静かにしてくれない？

⑯ **Give** me a hug.
（ハグを与える＝）ハグして。

⑰ I'll **give it a try**.
やってみるね。

> 単に I'll try.（やってみるよ）と言うより、ぐっと軽いニュアンスに。

⑱ He **gave** some money to the charity.
彼はけっこうなお金をチャリティに募金した。

⑲ She would not **give in**.
彼女はけっして屈しないだろう。

⑳ He is about my size, **give** or take, a few pounds.
彼は大体私と同じサイズ。数ポンド多いか少ないかくらい。

65 show
=ほら、と見せ示す

I'll show you my new camera.
新しいカメラを見せてあげる。

show——「英語脳」になってみよう！

show は何かを「見せる」単語ですね。ですが、英語脳的な感覚で言うと「**ほら、と見せ示す**」イメージ。

She likes to show off her dance skills.
（彼女は踊りの技術を見せるのが好きだ）

Show me your watch.（あなたの腕時計を見せて）

「ほら」という感じがよく表われていますね。

What's showing on TV?（テレビで何をやっている？）

テレビが何を「見せている」のかを聞いているわけです。

また、「見せ示す」→「姿を見せる」という意味合いで、

He finally showed up.（ようやく彼が現われた）

「現われる」という意味になります。誰か時間に遅れてや

って来た場合に、皮肉をこめて使う表現です。

　顔が何かを見せ示せば、表情になりますし……、

It shows on your face.（顔に表われているよ）

　こんなふうに**写真が一目瞭然に見せ示す**ことも。

This picture shows how it took place.

（どんなふうにそれが起きたか、この写真がよく表わしている）

「すぐ使える！ すぐ話せる！」コツ

　では、次はどういうことかわかりますか？

I'll show you around Tokyo.（君に東京を案内するよ）

　東京周辺を誰かに見せ示す──そう「**案内**」するということです。

　また、**道筋を「見せ示す」**と考えれば、目的地まで**連れて行く**という意味にも。こんな具合です。

Show them into the lounge.（ラウンジへお連れしなさい）

　もちろん、日本語でも「ショー」というように、「**見世物**」の意味でも使えますよ。**ショーは人に見せるものですから、こちらもイメージどおり**ですね。

The show begins in 10 minutes.（あと10分で開演です）

　このように、show は「ほら、と見せ示す」イメージ。どこか自信たっぷりで、自慢気な雰囲気のある単語です。

「英語脳」になるフレーズ20

① **Show** your passport and airline ticket at the gate.
ゲートでパスポートと搭乗券をお見せください。

② The price **is shown** on each tag.
価格は値札に書いてあります。

③ Are they **showing** the new movie yet?
新しい映画はもう上演されているの?

④ It's OK to **show** your true colors.
本当のあなた(の色)を見せていいんですよ。

⑤ Did he **show** himself at the party?
彼はパーティに姿を見せた?

⑥ **Don't show** your anger to them.
あなたの怒りを彼らに見せないで。

⑦ Her eyes **show no feelings**.
彼女の目は感情を表わしていない。

⑧ It **shows** how little you care.
あなたがほとんど気にかけていないことの表われですね。

⑨ Statistics **show** a decreasing number of births.
統計が出生数の減少を表わしています。

⑩ Does my accent **show** through?
まだ訛りがわかりますか?

show

⑪ I'll **show** you the way to the station.
駅までの道を教えてあげます。

⑫ Let me **show** you how to do it.
どうするのか示してあげます。

⑬ Could you **show** me how it happened?
どうやって起こったか教えてくれますか？

⑭ **Show** more affection to him.
彼にもっと愛情を示しなさい。

⑮ She likes to **show off**.
彼女は見せびらかすのが好きです。

> offのニュアンスは「パッと発する」。だからshow offは「パッパッと見せて回っている」＝見せびらかしているわけです。

⑯ Let's go to **the air show**.
航空ショーに行きましょう。

⑰ **Let's get this show on the road**.
よしやるぞ。

⑱ **The show must go on**.
後には引けない。

⑲ **The motor show** has been called off.
モーターショーは中止になりました。

⑳ He stole **the show** from me.
彼に人気をさらわれた。（ショー→人気のショー）

66 keep
＝そのまま保つ

> **Keep your chin up.**
> 上を向いて歩こう。(＝アゴを上に保つ)

keep──「英語脳」になってみよう！

たくさん日本語訳がある keep。でも、どれも手に入れたり預かったりしたモノを、「**そのまま保つ**」というイメージで覚えれば大丈夫。たとえば……、

Keep the change.（おつりは取っておいて）

change は小銭。この場合はおつりの意味です。だからおつりをそのまま保つ＝**持っていていいよ**、ということ。

He always keeps his wallet in his front pocket.

（彼はつねに前ポケットに財布を入れている）

財布をポケットに保つ＝**持ち運んでいる**わけです。

それから、一時的に預かる場合にも使います。

Keep this for me until I return.

(私が戻るまで、これちょっと持っていて)

では、次の例は何だと思いますか？

Be aware of the company you keep.

(誰を友人として持つのか、よく注意を払え)

これは、つき合いつづける仲間は選びなさい、という意味合い。やはり「**そのまま保つ**」**イメージ**ですね。

「すぐ使える！すぐ話せる！」コツ

もちろん、人やモノ以外も保ちます。たとえば、「**ある状態**」**を保つときも** keep です。

Will you keep an eye on my bag?（鞄を見ていてくれる？）

Keep the fire going.（火が消えないようにね）

Can you keep a secret?（秘密を守れる？）

She kept a diary.（彼女は日記をつけていた）

このあたりもぜんぶ、「そのまま保つ」のイメージで理解できるでしょう？　さらに、こんな言い方もできます。

Milk will not keep long if it is not refrigerated.

(牛乳は冷蔵しないと長く保たない)

牛乳が自分自身を保つというのは不思議な感じですが、冷蔵されないと、**牛乳は自らを「いい状態」に保てない**、というわけです。

「英語脳」になるフレーズ20

① She **keeps** a picture of her boyfriend in her purse.
彼女は彼氏の写真を財布に入れて持ち歩いている。

② Go ahead and **keep** this umbrella for now.
とりあえずこのカサを使っていていいよ。(持っていて)

③ Please **keep** this in a safe place.
これを安全な場所に保管しておいてください。

④ I've **kept** this in my closet for years.
もう何年もこれを物置に入れっぱなしにしている。

⑤ Can I **keep** my stuff in your basement?
あなたの地下室に私物を預かってもらえない?

⑥ She **keeps to herself**.
彼女はいつも1人でいる。(彼女自身に保つ)

⑦ **Keep watch on the baby** while I'm gone, please.
私がいないあいだ、赤ちゃんをみていてね。

⑧ I **kept my promise** and never told anyone.
約束を守り、誰にも言わなかった。

⑨ Can you **keep up with me**?
私についてこれる?

> 「アップの状態を保てる?」
> ——要は「ダウンせずについてこれる?」ということ。

⑩ **Keep** your cool.
冷静さを保ちなさい。

keep

⑪ **Keep on smiling** through the tough times.
大変なときには笑顔を保ちなさい。

⑫ **Try to keep** the children interested.
子どもたちを楽しませつづけるようにしなさい。

⑬ The police struggled **to keep the peace**.
警察は平和保持のためにがんばっている。

⑭ He **keeps** his truck in excellent condition.
彼はトラックをすばらしい状態に保っている。

⑮ He **keeps** his desk clean and organized.
彼は机をきちんときれいにしている。

⑯ He **kept** the records for his business.
彼は商売の記録をつけつづけていた。

⑰ Freeze meat to **keep** it for a long time.
長期間保存するために肉を冷凍しなさい。

⑱ Please **keep quiet** during the performance.
演奏中はお静かに。(静寂を保つ)

⑲ It's important **to keep your word**.
約束を守ることは大切です。

⑳ The kids **kept inside** all day because of the rain.
子どもたちは雨のため1日中家にいさせられた。

67 move
＝よいしょ、と動かす

> Well, I have to be moving along now.
> そろそろ行かないと。

move──「英語脳」になってみよう！

move は、単に「動く」というだけではなく、「**よいしょ、と動く（動かす）**」イメージ。

Move over, please, so I can sit here, too.
（私も座れるように少しそっちへ動いてね）

このように**物理的に移動する**こともあれば……、

When are you going to move on?
（いつになったら先に進めるの？）

と、**見えない動きでもOK**。映画ではよく、失意の人物を Move on! と励まします。過去は忘れて、「**よいしょ、と動く＝先へ進まないと！**」というニュアンスです。

She moved her suitcase from the house to the car.

(彼女はスーツケースを家から車に移した)

これは、**モノを「よいしょ、と動かした」**ということ。それが大がかりになれば、「**引っ越し**」です。

I'm moving to a new apartment next week.

(来週新しいアパートへ引っ越す)

その前に、古い家から出ていかなければなりませんね。

I'm going to move out next month. (来月ここを出て行く)

というように、from や to、out などと組み合わせて、「**よいしょ、と動く**」**方向が定まる**というわけです。

「すぐ使える！すぐ話せる！」コツ

では、これはどういう意味だと思いますか？

The new mp3 players are moving quite well.

(新しいmp3プレイヤーはよく売れている)

店頭や倉庫で在庫が「**よく（quiet well）動く**」。——これで「**よく売れる**」という意味になるのです。

When are you going to move up in the company?

(いつになったら出世するの？)

これは、サラリーマンにはシビアな問題。**今の場所から up（上へ上へ）に、「よいしょ、と動く＝出世する」**というわけです。

「英語脳」になるフレーズ20

① I was so **moved** by the film.
その映画、とても感動した。(心が動かされた)

② He **moved** from the chair to the couch.
彼はイスからソファへ移動した。

③ After falling down, he was **unable to move**.
転んでしまって、彼は動けなかった。

④ You can't stop here, so please **move on**.
こんなところで立ち止まらないで、進めてください。

⑤ They **moved** from Seattle to Tokyo.
彼らはシアトルから東京へ移り住んだ。

⑥ I **moved** in to my new home just last week.
新しい家に先週越したばかりだ。

⑦ I think it's time that I **move out** now.
そろそろ出て行く時期のようですね。

⑧ The book really **moved me**.
その本は私をとても感動させた。

⑨ I was **moved to tears**.
泣けてきた。

⑩ I was **moved to anger**.
腹が立った。

> 単にmoveと言えば「感動」ですが、気持ちがどう動いたかは、このように表現しましょう。

move

⑪ The speed skater **moved into the lead**.
スケート選手が先頭に立った。

⑫ I'm going **to get moving** now.
そろそろ行かなくては。

⑬ One **false move**, and I'll shoot!
(妙な動き→)変なことをしたら撃つよ！

⑭ She is always **on the move**.
彼女はいつも何かしている。

⑮ Okay, it's your **move**.
あなたの番だよ。(動き)

> turnも使いますが、たとえばturnは発言の順番、moveはスポーツの順番のように、moveのほうが「動き」のニュアンスが強く出ます。

⑯ **What a move**!
いい動きだ！

⑰ That was **a nice move** to the basket.
あのゴールはいい動きだったね。

⑱ You'd better **get a move** on before he returns.
彼が戻る前に、さっさとやっておけよ。

⑲ I **move** to adjourn the meeting.
会議は延期する方向で進めている。

⑳ **Moving out** of the country is complicated.
その国から出るのは複雑なことだね。

68 turn
=クルリと回す

> He turned his back to the audience.
> 彼は観客に背中を向けた。

turn——「英語脳」になってみよう！

turn は、何かを「**クルリと回す（回る）**」というイメージ。では、いったいどんなものを「回す」のでしょうか？

He turned the key and opened the lock.

（彼はカギを回してロックを開けた）

そう、**カギはよく回すものの1つ**ですね。

She turned the page and began to read the next chapter.

（彼女はページをめくって次のチャプターを読みはじめた）

ページを回す——ちょっと変ですね。でも、**ページをクルリと回すと考える**と、めくる感じが出ます。

I turned around when I heard something behind me.

(後ろで何かが聞こえたので、僕は振り返った)

クルリと体を回す、つまりうしろを振り返るということ。

また、turn は名詞としても使います。

It was finally my turn to speak.（私が話す順番が来た）

人から人へ、クルリクルリと回っているもの、とイメージすれば、すぐに「**順番**」とわかるはずです。

「すぐ使える！ すぐ話せる！」コツ

さて、モノを回せばひっくり返りますね。

Just looking at the moldy sandwich made my stomach turn.

(サンドイッチにカビが生えているのを見て胃がひっくり返った)

胃がひっくり返った——つまり、**気持ち悪くなってしまった**のです。そして、何かがひっくり返ると**違う面が見えてくる**ことから、turn は**変化するという意味**でも使えます。

He turned on the light.（彼は電気をつけた）

The sky turned gray as the day went on.

(空は1日経つにつれて灰色になった)

電気をオフからオンの状態に変化させた。何やらスイッチを回す感じもします。それに空が青色から灰色に変化する様子も、まさに「**クルリと回る**」イメージですね。

「英語脳」になるフレーズ20

① He **turned** the steering wheel to the right.
彼はハンドルを右へ回した。

② He **turned** the globe around to China.
彼は中国が見えるように地球儀を回した。

③ The fan blades were **turning** quite fast.
扇風機の羽が勢いよく回っていた。

④ He **turned** the screw firmly to the right to tighten it.
彼はねじを締めようと右にしっかりと回した。

⑤ He heard a knock and **turned** toward the door.
彼はノックを聞いてドアのほうを向いた。

⑥ He **turned** the rock over and found many bugs.
彼が石をひっくり返すとたくさんの虫がいた。

⑦ **Every time I turn around**, he's wanting money.
声をかけられるたびに彼に金の無心をされる。

⑧ When in trouble, he **turns to his lawyer**.
問題があるとき、彼は弁護士に相談する。

⑨ He went straight for two blocks and then **turned** left.
彼は2ブロックまっすぐ進んで左に曲がった。

⑩ The road **turns** left about a mile ahead of here.
1マイルほど行くと道は左に曲がっている。

turn

⑪ I'm sure your keys will **turn up** sometime.
カギはきっと出てくるよ。

> 見えなくなっていたものが「クルリと向きを変えて見える状態になる=ひょっこり見つかる」という感じ。

⑫ He **turned off** the light.
彼は電気を消した。

⑬ The tide has **turned**.
時代は変わった。

⑭ The frog **turned into a prince**.
カエルは王子様になった。

⑮ She **turned the idea over several times**.
彼女はくり返し案を検討した。

⑯ In the fall, the leaves **turned** from green to gold.
秋になると葉は緑から黄金色へ変わった。

⑰ The man's hair **turned** gray after he grew older.
歳を取ってその男の髪は白くなった。

⑱ My daughter just **turned** five years old.
娘が5歳になった。

⑲ He **turned** the salesman **away**.
彼はセールスマンを追い返した。

⑳ The kids were taking **turns** sliding down the slide.
子どもたちは順番にすべり台をすべっていた。

69 live

=いきいき生きる

> You only live once.
> 人生一度きり。(たった1回しか生きない)

live——「英語脳」になってみよう！

live は「生きる」。人生、寿命、暮らし……すべてひっくるめて「**いきいき生きること**」とイメージしましょう。

There are many things that live on this planet.

（地球上にはたくさんの生物が生きている）

人が生きれば「暮らす」、生きる期間なら「寿命」です。

I live on $2,500 per month.

（私は月2500ドルで暮らしています）

A dog lives to be about 20 years old.

（犬の寿命は大体20歳です）

最後に、物語のシメの決まり文句をどうぞ。

They lived happily ever after.（幸せに暮らしましたとさ）

「英語脳」になるフレーズ10

① I **live on** peanut butter and crackers.
私はピーナッツバターとクラッカーを食べて生きている。

② People **live in houses**, while animals **live** in the wilderness.
人間は家に住む、動物は原野に生きる。

③ Come on! It's time **to really live**!
人生楽しまなくちゃ!

④ I **live in Seattle**. Where do you live?
私はシアトルに住んでいます。あなたはどこにお住まい?

⑤ I **live by** the golden rule.
私は黄金律に生きる。

⑥ What principles do you **live** by?
あなたはどんな信念にもとづいて生きていますか?

⑦ I **live** with my wife and three kids.
私は家内と3人の子どもたちと暮らしています。

⑧ Out of the 150 aboard the ship, **79 lived** to tell the story.
乗船客150名中、79名が生還しました。

⑨ He will never **live up to his father's expectations**.
彼が父親の期待に応えることはないだろう。

⑩ He has a good job, so his family **lives well**.
彼はよい仕事に就いているので、家族はよい暮らしができる。

70 cut
=スパッと切る

> Don't cut in the line.
> 列に割り込むな。

cut——「英語脳」になってみよう！

cut はじつにいろいろなモノを「**スパッと切る**」単語です。よくあるこんな光景のように……、

He cut the sandwich in half.
（彼はサンドイッチを半分に切り分けた）

Be careful or you'll cut yourself.
（気をつけて、さもないとケガするよ）

これらは刃物でスパッと切るという意味合い。でも、

He cut a check to his favorite charity.
（彼はひいきの慈善団体に寄付した）

と「**小切手を切る**」というときにも使えます。スパッと気持ちよく切ってほしいものですよね。

He was cut from the varsity team.（一軍から外された）

　残念ながら、二軍落ち。ばっさり切られた感じですね。

The student cut his fifth period class.

（その生徒は5時間目をさぼった）

　スケジュールを切るから、さぼる。ちなみにこの場合には skip＝「飛ばす」も使えます。

「すぐ使える！ すぐ話せる！」コツ

　まだまだ、こんなのもありますよ。

He cut in the line because he was in a hurry.

（彼は急いでいたので、列に割り込んだ）

　割り込んで**列が切られる**イメージが浮かびますね。

Cut it out, before I scream!（私が叫ぶ前に止めろ！）

　Cut it out. は「いいかげんにしろよ」という話し言葉です。その行動を「スパッと切る」→「やめる」という感じ。

　こうしていろんなモノを切ってしまう cut ですが、haircut（散髪）、shortcut（近道）など別の単語と組み合わさって新しい単語になることもあります。たとえば……、

I see you got a new haircut...looks good!

（新しい髪型にしたんだね、とてもいいよ！）

　これでも「スパッと切る」感じは変わりません。

「英語脳」になるフレーズ20

① He accidentally **cut** his finger with the kitchen knife.
彼は誤って包丁で指を切ってしまった。

② He **cut** his foot on some broken glass.
彼は割れたガラスで足を傷つけた。

③ The cake was **cut into eight pieces**.
ケーキは8ピースに切り分けられた。

④ She **cut** the wrapping paper with a pair of scissors.
彼女は包装紙をはさみで切った。

⑤ I think everything is pretty **cut and dry**.
（木材を切って乾かしてあった→）すべて準備が整っています。

⑥ Okay, now, it's time **to fish or cut bait**.
（魚を釣るなりエサを切るなり決める→）では、行動を起こしますか。

⑦ The motorboat **cut across** the water.
モーターボートが水辺を横切りました。

⑧ He got **a cut** on his right arm.
彼は右腕にキズを負った。

⑨ Don't **cut corners**.
手抜きをしてはいけません。

> 「曲がり角を横切る」で「近道をする」という意味に。「急がば回れ」ってことです。

⑩ **Cut**! Let's shoot it again from the beginning.
（撮影などで）カット！ 最初からもう1度。

cut

⑪ He **cut the first sentence** and pasted it at the end.
彼は最初の1行をカットして最後にペーストした。

⑫ You sure have your work **cut out** for you.
やらなきゃいけない仕事がたくさんありますね。(自分に切り出す)

⑬ I hate it when a car **cuts me off** like that!
あんなふうに割り込まれるのがイヤなんだ！

⑭ I think it's time to **cut your losses**.
もう止め時ですよ。

⑮ Why don't you **cut me some slack**?
カタいこと言わないで。(「緩さ」を切り出してもらう)

⑯ There was **a cut** under his left eye.
彼の左目の下に切り傷がある。

⑰ She got **a cut in salary** after the change in ownership.
オーナーが代わって彼女は減給された。

⑱ There was **a cut in the amount of supplies**.
資材の減量が行なわれた。

⑲ She was **a cut above the rest**.
彼女は飛び抜けている。

> ステーキ肉の一番いいところにたとえた表現。

⑳ She took **a shortcut** through the neighbor's yard.
彼女はご近所の庭を横切って近道した。

71 all
=まとめて全部

All's well that ends well.
終わりよければすべてよし。

all──「英語脳」になってみよう！

all は「**まとめて全部**」というイメージ。

every も「すべて」という意味ですが、こちらは「個々すべて」というニュアンスが含まれる一方、all は、個々はどうあれすべていっしょくたにする感じ。だから「まとめて全部」と覚えるのが一番いいのです。

見えるモノを指してこのように言ったり……、

All the mountains are covered with snow.
（すべての山々は雪で覆われている）

見えないモノを指して、こう言ったりします。

I spent all my luck.（運をすべて使いはたした）

時間を指すときは、こんな感じ。

I was studying all day yesterday.
（昨日は1日中勉強していた）

1日の全部だから、「1日中」となるわけです。

It started raining all at once.（いきなり雨が降り出した）

「all＝全部」＋「at once＝一度に」――この2つがつながると、「全部一度に」となります。いきなり大雨が降ってきた感じ、よく出ていますね。

また、not を前につけると、こうなります。

Not all Japanese like sushi.

（すべての日本人が寿司を好きというわけではない）

大半はそうだけど例外があるよ、という意味合いですね。

「すぐ使える！ すぐ話せる！」コツ

さて、**まとめて全部**が all のイメージですが、それが否定の not とくっつくと、「**全然**」「**まったく**」という意味になります。たとえば、こんな具合。

I don't mind it at all.（全然気にしないよ）

さらには、次のような文だと、「**だけ**」という意味にも。

He is all skin and bones.（彼はガリガリにやせている）

全部が皮と骨でできている――逆に言えば、骨と皮だけ、すなわちすごくやせているというわけです。

「英語脳」になるフレーズ20

① Did you spend **all** your money?
お金をすべて使ってしまったの？

② **All** passengers must wear seat belts.
すべての乗客はシートベルトを締める必要があります。

③ We sell **all sorts of** children's books.
あらゆる種類の児童書を販売しています。

④ **All** my family gathered for Christmas.
家族全員がクリスマスに集まりました。

⑤ **All** men and women are equal.
すべての男女は平等です。

⑥ I ran the race with **all my best**.
私は全力で走りました。

⑦ I'm **all yours**.
お相手できますよ。

> 忙しかったけど、今なら「私全部があなたのものですよ」という感じ。

⑧ That's **all**.
これで全部です。

⑨ The test wasn't that hard **after all**.
(すべての後で→) 結局のところテストはそれほどむずかしくなかった。

⑩ Where did **all these** books come from?
(これらすべての→) こんなにたくさんの本はどこから来たの？

all

⑪ Is this **all** you have?
それで全部か?

⑫ I'm **all ears**.
お話しください。

> 「私は全部耳です」=ちゃんと聞くから遠慮なく話して! というわけ。

⑬ **We all** had to work last weekend.
先週末は全員、働かなければならなかった。

⑭ It's **all** gone.
全部なくなってしまった。

⑮ He's **all thumbs**.
彼は不器用だ。

> 「指が全部親指」だったら不便! だから「不器用」という意味になるのです。

⑯ Aren't you eating **at all**?
全然食べないの?

⑰ **All you have to do** is to ask!
(すべきことのすべては聞くだけ→) ひと言、言ってくれれば!

⑱ Is that **all** you want?
欲しいのはこれだけ?

⑲ I **didn't** sleep **at all**.
全然寝てないんだ。

⑳ **All he wants** is for you to try your best.
彼があなたに求めているのは、ただあなたがベストを尽くすことだけです。

72 about
=〜の周辺

How about eating out tonight?
今夜は外食するというのはどう?

about──「英語脳」になってみよう!

about はたいてい「〜について」と習いますが、同時に「約〜」などの意味もあり、丸暗記では感覚がつかみにくい単語です。そこでイメージの出番。

about は、「〜の周辺」を示しているんです。

What is that book about? (何についての本?)

その本は何の周辺について扱っているの、という意味。

We'll see about this! (それについて考えてみるよ!)

これも同様。**その周辺も含めて考えてみるってことです。**

What is it about her that I like so much?

(僕は彼女の何をそんなに好きなんだろう?)

なぜその子が好きなのか──**彼女の周辺、つまり彼女に**

まつわるさまざまな何かに惹かれているわけですね。

「すぐ使える！ すぐ話せる！」コツ

だから、こんな意味でも使えます。

She's about your height. （彼女は大体あなたと同じ背丈）

あなたの身長の周辺にいるわけですから、「大体」ということですね。それが動作になると……、

He was about to leave. （彼は出かけるところだった）

「**出かける**」という動作の周辺なので、「出かけるところ」になります。次もよく使う表現。

It's about time for you to go to bed.

（そろそろ寝る時間よ）

これは寝る時間の周辺──つまり「そろそろ」という意味合いになるわけです。ではこれはどうでしょう？

A stranger is wandering about outside.

（見かけない人が外をウロウロしている）

外の周辺にいるのだから、ウロウロしているんですね。

The kids were up and about early in the morning.

（子どもたちが朝早くからドタバタやっていた）

up and about、**起きて周囲を動き回っている**んですね。「周辺」というイメージ、おわかりいただけましたか？

「英語脳」になるフレーズ20

① The movie is **about a boy and his dog**.
その映画は男の子と犬についてのものです。

② The meeting is **about safety procedures**.
安全の手順に関する打ち合わせです。

③ I'll see **about purchasing** the flowers for the wedding.
結婚式の花の購入についてあれこれ見てきましょう。

④ **What about** our conversation last night?
昨日の会話に関してはどうなの？

⑤ There was something **about her** that caught my attention.
彼女には私の関心を引く何かがあった。

⑥ There was a mystery **about the house**.
その家にはナゾがある。

⑦ It was **about 5:30** when he arrived.
彼が着いたのは5時半ごろだった。

⑧ The statue is **about 10 feet tall**.
その像の高さは約10フィートです。

⑨ Breakfast is **about ready**.
朝食は大方用意できています。

⑩ Hold on. I'm just **about finished**.
ちょっと待って、もう大体終わりだから。

about

⑪ The play is **about to start**.
劇が始まるところです。

⑫ What were you just **about to do**?
何をするところだったの？

⑬ It's **about time** you got here.
ようやくお出ましか。

⑭ I woke up with trees **all about me**.
目が覚めると、あたりには木が茂っていた。

⑮ There were people **all about the fountain**.
噴水のまわりに人がいた。

⑯ She was aimlessly **wandering about** the house.
彼女は目的もなく家のまわりをうろついていた。

⑰ I see that you are **out and about** again.
元気になりましたね。

⑱ He **went about** his work while the others just watched.
周囲が傍観するなか、彼は仕事に着手した。

⑲ They did **an about face** and left.
みんな"まわれ右"をしてそこを去った。

⑳ He did **an about face** when I confronted him.
私を見て彼の顔色が変わった。（顔色が"まわれ右"）

73 back
=うしろがわ

> She couldn't hold back her tears.
> 彼女は涙をこらえきれなかった。

back——「英語脳」になってみよう！

back は、もともと「人の背中」という意味。そこから「**うしろがわ**」とイメージすると、いろいろな意味で使えるようになります。

My lower back hurts.（腰が痛い）

背中より low、つまり低い部分だから、そう、腰です。次も体の部位。どこだかわかりますか？

She knew the area like the back of her hand.
（彼女は自分の手の甲のようにそのエリアをよく知っている）

手のうしろがわの部分——手の甲は自分の目からいつでもよく見えるので、「よく知っている」の意味になるんですね。

それに、back は時間を指すこともできます。

They met in Seattle back in 1992.

(彼らは1992年にシアトルで出会った)

　時間を**うしろにさかのぼる**のです。こういう場合は、とくに back を訳さなくてもOK。次は方向を示す場合。

When are you going to come back? (君、いつ帰る?)

　うしろに来る——つまり「帰る」ということ。

「すぐ使える! すぐ話せる!」コツ

　back は動詞としてもよく使われます。たとえば日本語でも言う「バック」、つまり**うしろに移動させる**場合。

We've come this far, so we can't back out now.

(ここまで来たら、止めるわけにはいかない)

　back out ——途中で止めて後ずさりして、姿を消す感じです。

Don't worry because I'll back you up.

(心配しないで。私が支えるよ)

　これは、**うしろがわから持ち上げてくれる**感じ。心強いサポートですね。まるで電車の後方から目を光らせる車掌さんのような単語です。

「英語脳」になるフレーズ20

① He bumped **the back of his head** when he fell.
彼は転んだときに後頭部を打った。

② Everyone wanted to sit **in the back of** the theater.
みんな劇場のうしろのほうに座りたがった。

③ **The back of the chair** was broken.
いすの背もたれが壊れていた。

④ They headed toward **the back of the building**.
ビルの奥のほうへ向かった。

⑤ Please use **the back door**.
裏口をお使いください。

⑥ It's safer to ride in **the back seat of a car**.
車の後部座席に乗るほうが安全です。

⑦ The kids were playing in **the backyard**.
子どもたちは裏庭で遊んでいた。

⑧ He read through **the back issues**.
彼はバックナンバーを読んだ。

⑨ She **received back pay** for the work she had done.
彼女は未払いだった賃金を受け取った。

⑩ I'll **go back to** the United States next year.
来年アメリカに帰ります。

back

⑪ He had to make many trips **back and forth**.
彼は頻繁に行ったり来たりしなければならなかった。

⑫ I **paid back** all of the money I owed.
私は借りているお金をすべて返済しました。

⑬ Did you **call** him **back** yet?
彼に折り返し電話をした?

⑭ She **leaned back** up against the wall.
彼女は壁によりかかった。

⑮ Do you have **the facts to back that up**?
それを裏づけする事実はあるの?

⑯ He **backed** the truck into the garage.
彼はトラックをガレージにバックで入れた。

⑰ He slowly **backed away** from the snake.
彼はゆっくりとヘビから後ずさりした。

⑱ When others disagreed with him, he **backed down**.
みんなが反対したので、彼は意見を引っ込めた。

⑲ Despite the growing opposition, he didn't **back off**.
高まる反対意見をよそに、彼は譲歩しなかった。

⑳ An injury caused him to **back out** of the race.
彼はケガで競技から外れざるをえなかった。

74 can
=とにかくできる

I can do it!
できますとも！

can──「英語脳」になってみよう！

can はおなじみ「～できる」の意味。

Can you play the guitar?（ギターを弾けますか？）

I can't see what you're saying.

（あなたが言ってること、理解できない）

ここまでなら「～できる」でも十分ですが、これだけだとどうも can をフルには言い表わしていない。can は、**「とにかくできる」**と、強い可能性を表わす言葉なのです。

だから、権利や権限を表わすことも。

I can choose whatever career I want.

（私はどんな職業にでも就く権利がある）

「とにかくできる」──つまり、**「就こうとすれば就ける」**。

能力的に可能かどうかは別として、とにかく職業を選ぶ権利はある――この感じが can です。そこから転じて、can は「許可」の意味にも。

Can I borrow your car?（車を借りてもいい？）

「（私が）**借りることはできる？**」ということですね。

「すぐ使える！すぐ話せる！」コツ

では、次の文はどうでしょう？

You can say that again.（賛成です）

「もう一度言ってもいいよ」→「言っていることは正しい」→「まったく同感だ」――つまり「賛成！」ということ。

もしこれが命令の Say that again! なら、「もっと言って（もっと褒めて）」の意味になります。「とにかくできる」のcan がつくだけで、まったく違う意味になるのです。

さらに過去形 could になると、また別のニュアンスに。

- Can you do it?（頼める？）
- I can do it.（できるよ）

- Could you do it?（お願いしてもいいですか？）
- I could do it.（できないことはないけど……）

could のほうは、現時点の話なのに過去形を使うわけですから、どこか消極的なニュアンスになるのです。

「英語脳」になるフレーズ20

① She **can speak** French well.
彼女はフランス語を上手に話せる。

② I **can't** ski very well.
スキーをあまりうまくできない。

③ He **can dance** like Michael Jackson!
彼はマイケル・ジャクソンのように踊れる!

④ You **can't take it** with you.
あなたはそれを持ち出す権限がありません。

⑤ She **can read** a recipe, but she **can't cook** well.
彼女はレシピを読めるけど、料理はうまくない。

⑥ He **can draw pictures**, but he isn't very good at it.
彼は絵を描けるがあまりうまくない。

⑦ He **can swim across** the lake.
彼は湖を泳いで渡れる。

⑧ You **can't fight** City Hall.
権力と戦ってもムダです。

> 長いものには巻かれろ、ということ。

⑨ He **can quit** his job anytime.
彼はいつだって仕事をやめられる。

⑩ She **can change her mind** anytime she wants.
彼女はいつ別の考えを持っても構わない。

can

⑪ You **can write** about whatever inspires you.
あなたは何でも感じたことを書く権利がある。

⑫ You **can get a raise** if you get this account.
この口座を作れば、もっと利子が入るよ。

⑬ The manager said that you **can't go** home early today.
部長が君は今日、早く帰れないよと言った。

⑭ You **can win** only one time in a hundred tries.
100回に1回は勝てるだろう。

⑮ I wonder if we **can succeed**.
私たちは成功できるんだろうか。

⑯ **Can you drive me** to the airport?
空港まで乗せていってくれる？

⑰ I **couldn't** care less.
いっこうに構わない。(それ以上に気にしない状態はあり得ない)

⑱ **Can** you believe it?
それって信じられる？

⑲ This **can't be true**!
こんなのあり得ない！

⑳ **Can you** show me how to do it?
それどうやったらいいか教えてくれる？

75 face
=いろんなものの顔

> It's written all over your face.
> (何を思っているかは)顔に書いてあるよ。

face──「英語脳」になってみよう!

face と聞いて真っ先に思い浮かべるのが「顔」でしょう。

本当は「顔面」も含めて「表面」という意味もあるのですが、ここはモノにも「顔」があるとイメージして、そのまま「**いろんなものの顔**」と覚えてしまいましょう。

まずはズバリ、「顔」の例文から。

She has a pretty face.(彼女はカワイイ顔をしている)

His face turned bright red with embarrassment.

(彼の顔は恥ずかしさで真っ赤になった)

生まれつきの「**顔**」もあれば、「**表情**」もありますね。

And then it hit me smack in the face: she was right.

(彼女は正しい。その事実は僕の顔をピシャリと叩いた)

it は最後の文、「彼女は正しい」を指しています。実際に叩かれたのではなく「**ハッと気づいた**」という比喩。

Let's meet face to face.（じかにお会いしましょう）

これは直接、**顔と顔をつき合わせる**ということです。

さて、「顔」は人間ばかりでなくモノにもあります。

On the face of it, the situation looks okay, but there may be trouble.

（表面上は大丈夫そうだが、問題があるかもしれない）

まさに「**うわっつら**」はよく見えるけど……ということ。

「すぐ使える！すぐ話せる！」コツ

face が動詞になった場合も「**顔**」というイメージでOK。動詞になるから「**向き合う**」という意味で使います。

He faced the mirror and combed his hair.

（彼は鏡を見て髪をとかした）

鏡に顔を向けて、鏡と顔が面した状態ですね。顔以外が何かに向き合う。部屋にも顔があると考えれば……、

All of our rooms face the beach.（全室オーシャンビュー）

要は部屋がビーチに「**面している**」ということ。

このように、face は名詞で使う場合も動詞で使う場合も「顔」、このイメージさえあれば使いこなせます。

「英語脳」になるフレーズ20

① It was too funny, so I couldn't keep **a straight face**.
おかしすぎて、マジメな顔を保てなかった。

② I know, because it's written all over your **face**.
(君の気持ちは) わかっているよ。顔に書いてあるもの。

③ Though secretly afraid, he showed **a brave face**.
内心では怖かったが、彼は勇敢な顔つきを見せた。

④ He tried to **save face** by making a lame excuse.
彼はつじつまの合わない言い訳でメンツを保とうとした。

⑤ Just get **out of my face**!
あっちへ行ってくれ！

> 直訳すれば「私の顔の外に出ろ！」。「もう顔も見たくない！」ということです。

⑥ Let's **face** this!
(これに直面しよう→) 現実を見なさい！

⑦ Why don't you tell him **to his face** how you feel?
彼に面と向かって、どう思うんだと言えばいい。

⑧ She **faced toward** the back of the room.
彼女は部屋のうしろのほうに向いた。

⑨ The man **faced** the crowd and smiled.
男は民衆に向かいほほえんだ。

⑩ Our office building **faces** north.
事務所の建物は北を向いている。

face

⑪ The statue **faces** the street.
その像は道路に面している。

⑫ She **faced** her problems with courage.
彼女は勇気を持って問題に取り組んだ。

⑬ He didn't know how to **face up to her**.
彼には彼女に合わせる顔がない。

⑭ We all have to **face** the future.
われわれはみんな未来を直視しなくてはいけない。

⑮ The U.S. **faces** Japan in the final game of the tournament.
米国はトーナメント最終戦で日本と戦う。

⑯ They will **face** each other in the finals.
決勝戦で彼らは当たるだろう。

⑰ They went on **in the face** of strong opposition.
彼らは強い反対にあったが、続けた。

⑱ The workers **faced** the old wooden house with brick.
作業員たちは古い木造家屋をレンガで覆った。

⑲ You have to **face up** to the facts.
事実から目を背けてはいけない。

⑳ **Let's face it**; I'm just not cut out for this job.
わかるでしょう。僕にこの仕事は向いてないよ。

76 head
=てっぺん

Keep it in your head!
忘れるなよ！（頭に入れておいて！）

head──「英語脳」になってみよう！

日本語でもおなじみの head。もちろん「頭」という意味ですが、それだけ知っていても「英語脳」にはなれませんよ。感覚的に「**てっぺん**」と考えましょう。

He has a big head!（彼は頭が大きい）

人間のてっぺんにあるのは、もちろん頭。だけど……、

He has a pretty good head on his shoulders.
（彼は肩の上に立派な頭脳を持っている）

こうなると、**頭の中身、すなわち頭脳**の意味に。せっかくの頭も正しく使わなければ意味がありませんね。

Remember to keep your head.（冷静になれ）

これは「**あなたの頭脳をキープしなさい**」──すなわち、

パニックを起こさず頭を働かせつづけなさいという意味。

「すぐ使える！すぐ話せる！」コツ

では、組織や集団のてっぺんには誰がいるでしょう？

He is the head of the department. (彼はこの部署の責任者だ)

そう、「**リーダー**」「**責任者**」ですね。では、そのものズバリ、「モノのてっぺん」の意味だと……？

There was a cat sitting on the head of the fence post. (ネコがフェンスの柱の上に座っていた)

人でもモノでも、「てっぺん」はすべて head なのです。

面白いところでは、映画でよく聞くこのセリフ。

Heads or tails? (表か裏か、どっち？)

コインを投げて表裏を当てるときの表現です。コインの表には頭部の絵が描いてあることから head と言い、裏を tail＝「しっぽ」と言うのです。

さて、head が動詞になると、「**向かう**」「**先頭に立つ**」などの意味になります。

He headed the parade. (彼がパレードを先導した)

The man headed east. (男は東へ向かった)

いずれも、「**集団のてっぺんを行く**」、「**てっぺんが向く先**」と考えればイメージどおりですね。

「英語脳」になるフレーズ20

① She has a lot of hair on her **head**.
彼女は髪が多い。(頭にたくさん毛を持っている)

② There were **15 head of cattle** in the pasture.
草原に15頭の牛がいた。

> 大きな動物を「頭」で数えるのは、日本語も英語も同じなんですね。

③ He **hung his head** in shame.
彼は恥ずかしさからうつむいた。

④ The boys went **head to head**.
少年たちはけんかをした。

⑤ The math test was **way over my head**.
数学のテストには歯が立たなかった。(頭脳を超えていた)

⑥ Don't worry. I've got it **all in my head**.
心配するな。すべて頭に入っている。

⑦ **Right off the top of my head**, I really don't know.
今パッと言われても、思い浮かばない。

⑧ Winning the race **went to his head**.
彼はレースに勝ってうぬぼれた。

⑨ Look at the title **on the head of the page**.
ページの上の表題を見なさい。

⑩ **You hit the nail on the head**.
まさにそのとおりだ。

head

⑪ I can't make **heads or tails of this**.
意味がわからない。

⑫ Her name always **headed** the list.
彼女の名はいつもリストの頭にあった。

⑬ She **headed** the race never giving up her lead.
彼女はつねに1位でレースを率いた。

⑭ He **heads** his coworkers in all sales statistics.
彼は全売上統計で、従業員の中でトップだ。

⑮ She **heads** the project.
彼女はこのプロジェクトのリーダーだ。

⑯ He **headed** the department and became well respected.
彼は部署を率い、尊敬されるようになった。

⑰ At least I'm **heading** in the right direction.
少なくとも正しい方向へ進んではいるようだ。

⑱ I'll **head** the boat for that island over there.
私はあそこの島へ向かってボートを進めようと思う。

⑲ The **head teacher** called a meeting.
教頭先生は会議を招集した。

⑳ She **headed out the door**.
彼女は扉を出た。

> 「先生の頭」は「教頭」先生。「校長」先生は「学校そのもの」を代表する人です。

77 line
=一本線

> **Which line are you taking?**
> 何線に乗っていく？

line——「英語脳」になってみよう！

line は「線」……見える線も見えない線も、とにかく「**一本線**」というイメージです。

Draw a line with a pencil.（鉛筆で線を引きなさい）

これはそのまんま「**線**」の意味。ちなみに「点線」は、「壊れた線」から、「broken line」と呼びます。

My fishing line broke.（釣り糸が切れた）

こっちは同じ線でもまっすぐ水に垂らす線ですね。

Who's on the line?（誰からの電話？）

これは、**電話線**をイメージすればわかりますね。近年では、**インターネット**のことも同じように表わします。

線は線でも、人の線だと、「**列**」になります。

Don't jump in the line.（列に割り込むな）

　文字の線なら「行」。こんなふうに使います。

Read between the lines.（行間を読む）

　セリフや詩の1行も line でOK。**文字の線**ですね。

「すぐ使える！　すぐ話せる！」コツ

　でも、こうなるとどうでしょう？

You've crossed the line.（やりすぎだ！）

　要するに、「一線」を越えてしまったのですね。

Yes, you're on the right line.（君の方針は合っています）

　日本語でも「そのセンで行こう」などと言いますね。やはり**スジの通った「一本線」**のイメージです。

　さらに、line は職業をも表わします。

My father is in the grocery line.（父は食料雑貨店を営む）

　という具合。**業種は首尾一貫したもの**ですから、やはり「まっすぐな一本線」ですよね。では次は？

Musicals are out of my line.（ミュージカルは趣味でない）

　好みは一貫したもの——まっすぐ線が通っているものだから、**そこから外れるものは「趣味ではない」**というわけ。

　これほどいろいろな意味がある line。でもとにかく「一本線」と考えれば、どの意味もすんなりわかるでしょう？

「英語脳」になるフレーズ20

① Draw ten **parallel lines**.
平行線を10本書きなさい。

② **The power lines** have broken from the storm.
送電線が嵐で切れた。

③ Go to terminal 3 for **domestic lines**.
国内線はターミナル3へ行ってください。

④ Let's hang the wet clothes on **the washing line**.
洗濯物を洗濯ヒモに干しましょう。

⑤ Let me explain **the lines of our sales policy**.
私たちの販売方針を説明します。

⑥ He crossed the finish **line** in first place.
彼は1着でゴールラインを切った。

⑦ Please **stand in line** and wait your turn.
並んで順番を待ってください。

⑧ There is **a line of shops** along this street.
この道路沿いには一連の店がある。

⑨ Get on **the Marunouchi line** from Shinjuku.
新宿から丸ノ内線に乗ってください。

⑩ You are out of **line**!
君は一線を越えたな！

line

⑪ You write such beautiful **lines**.
美しい詩を書きますね。

⑫ I'll drop him a few **lines**.
彼に一筆入れておくよ。

> drop a few lines——
> 一筆箋にひと言、添え書きをしておくという感じですね。

⑬ **Hold the line**.
（電話で）そのままお待ちください。

⑭ You have to know **the line** between good and bad.
よいことと悪いことの境を知りなさい。

⑮ I'm getting **lines** on my face.
顔にシワができた。

⑯ This is our **new line of products**.
これが、私たちの（一列に並んだ新商品→）新商品です。

⑰ Your test score is way **below the line**.
あなたの試験結果は平均（＝の線）よりずっと下です。

⑱ **Line up** the students along the corridor.
廊下に生徒を並ばせなさい。

⑲ He made **a line** chart to show their progress.
彼は発展を図の線で示した。

⑳ He knew exactly what **lines** to say to his clients.
彼は顧客に言うべきセリフを正確に知っていた。

78 or

=どちらか選ばせる

> **Would you like cream or sugar, or both?**
> ミルクとお砂糖、どちらにします？ それとも両方？

or──「英語脳」になってみよう！

or は「**どちらか選ばせる**」というイメージ。

Are you coming or not?（来るの？ それとも来ないの？）

Don't move, or I'll shoot.（動くな、さもなくば撃つぞ）

「来る」か「来ない」か。「じっとしている」か「撃たれる」か──究極の選択肢を示しています。機内食などでも、どちらにするか尋ねられますよね。

Japanese style or Western style.

（和食にしますか、それとも洋食にしますか）

「どっちにする？」と選択肢を提示する or は、とてもよく使う単語です。

「英語脳」になるフレーズ10

① There's only **one or two** seats left for that flight.
そのフライトには空席が1、2席しかありません。

② There never was **a good war or a bad peace**.
よい戦争とか悪い平和というものはなかった。

③ Study hard, **or** you'll fail on the exam.
勉強しなさい、さもないとテストに落ちるよ。

④ I'll try whether you help me **or** not.
君が助けてくれようとくれなかろうと、僕はやる。

⑤ I'm going **with or without you**.
君が来ようが来まいが、僕は行く。

⑥ Do you care for dessert **or anything**?
デザートか何か、いかがですか？

⑦ I'll be finishing this task in **a day or two**.
この作業は1日か2日で終了します。

⑧ It'll take only a couple of minutes **or so**.
ほんの数分しかかかりません。

⑨ He went shopping **or something**.
彼は買い物か何かで出ています。

⑩ You can have cake, pie, **or** ice cream
ケーキ、パイ、それかアイスクリームを食べていいですよ。

79 will

=強〜い意志

> Where there's a will, there's a way.
> 決意あるところに道あり。

will――「英語脳」になってみよう！

will は「〜するつもり、だろう」と未来を表わす単語ですが、つねに「**何者かの意志**」をイメージして使います。

一方、will と並んで未来を表わす語に shall がありますが、こちらは「時がたてば勝手に未来が生じる」というような、傍目に必然性を眺めるニュアンス。

I will go to America.（アメリカへ行きます）

I shall go to America.（アメリカに行くことになるだろう）

こういう具合に使い分けます。

What will be will be.（なるようになるさ）

こんな表現でも、**自然の意志＝摂理が働いていて、それがどうにでも「してしまう」**、そんな感じです。

次は、あまりうれしくない表現ですが、

Heads will roll for this!（クビが飛ぶぞ！）

切られた首がコロコロッと転がる……。怒り心頭でクビを宣言するボスの顔、目に浮かびますね。

You will finish the report by the end of the day.

（あなたは今日中に報告書を書き終えるのです）

「書き終えなさい」ということですが、命令ではなく、くるべき未来のように言われると、逃げ道がありません。

Will you go to the store for me?

（買い物に行ってくれない？）

これは、私に代わってお買い物に行ってくれる？──**「その意志がありますか？」**という意味ですね。

「すぐ使える！ すぐ話せる！」コツ

will は、次のように形容詞としても名詞としても使えます。

I'm ready, willing, and able.

（準備OK、やる気も能力もある）

She had the will to succeed at all costs.

（彼女はいかなる犠牲を払っても成功すると決心をした）

動詞だと「意志で決める」ですし、名詞だと「意志」。強い意志が働いていることに変わりはありません。

「英語脳」になるフレーズ20

① She **will always help** people in need.
彼女はいつも援助が必要な人を助ける。

② She **will help me** with my report.
彼女がレポートを手伝ってくれます。

③ He **will ask** her out on a date.
彼は彼女をデートに誘います。

> 日本語で言うなれば「鬼の居ぬ間に洗濯」といったところでしょうか。

④ While the cat's away, **the mice will play**.
ネコが居ぬ間にネズミは遊ぶ。

⑤ He **would never do** such a thing!
彼は決してそんなことをしない！

⑥ Are you **willing** to go along with the plan?
この計画で行くつもりはありますか？

⑦ You **will eat** your vegetables――or no dessert.
野菜を食べなさい、でないとデザートはなしよ。

⑧ He **will not** let us down.
彼は私たちを失望させないよ。

⑨ That **will do**.
それで十分です。

⑩ He **would always take a morning walk** with his dog.
彼は毎朝犬を連れて散歩に出かけたものです。

will

⑪ You **will often see** her feeding the birds in the park.
彼女が公園で鳥に餌をやっているのをよく見かけるだろう。

⑫ I **would do it** if I were you.
私があなたならやりますよ。

⑬ She **will work** for hours without any rest.
彼女は休憩ナシで何時間も働きます。

⑭ That idea **will never fly**.
その案はうまく行かないでしょう。

⑮ Boys **will be boys**.
男の子は男の子。(いたずらをする)

⑯ She was **willing to work overtime**.
彼女は残業をしてもかまわなかった。

⑰ His **will** was strong, and he refused to move.
彼の意志は強く、動くことを拒んだ。

⑱ She tried to stay on her diet, but her **will** was weak.
彼女はダイエットを続けようとしたが、意志が弱かった。

⑲ He was forced to work against his **will**.
彼は意志に反して働かされていた。

⑳ It is important to write **a will** before you die.
死ぬ前に遺言を書いておくことは大切です。

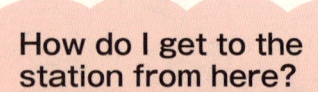

80 from
＝切り離す

> How do I get to the station from here?
> ここからどうやって駅に行きますか？

from──「英語脳」になってみよう！

from は「切り離す」感じ。たとえば……、

You can pick one from here.（ここから1つとって）

「ここ」から「1個」を切り離すわけですね。

You only have a week from today.

（今日から1週間しかないよ）

　今日という日から1週間だけ時間を切り離せば、日付を区切られている感じがしますね。

Please refrain from using cell phones.

（携帯電話のご使用はご遠慮ください）

「携帯を使うという動作を切り離す」とイメージすれば、行動が制限される感じ、しっくりくるでしょう？

「英語脳」になるフレーズ10

① I'll be out on a business trip **from tomorrow**.
明日から出張です。

② I will be careful **from now on**.
これからは気をつけますね。

③ Where did all this junk come **from**?
このガラクタはどこから出てきたの?

④ **Where are you from**?
ご出身は?

⑤ My grandma died **from a stroke**.
祖母は脳卒中で亡くなった。

⑥ **From my point of view**, you're wrong.
私の視点からすると、あなたは間違っています。

⑦ I'm speaking **from my own experience**.
私は自分の経験から話をしているのです。

⑧ You should stay away **from that kind of place**.
そういう場所(から離れている→)には近づかないほうがいい。

⑨ I live about 2 minutes **from the station**.
駅から2分ほどのところに住んでいます。

⑩ She is too young **to tell right from wrong**.
善悪を判断するには彼女は若すぎる。

●さくいん

A
- about ······ 266
- all ······ 262
- as ······ 70
- ask ······ 50
- at ······ 160

B
- back ······ 270
- begin ······ 62
- but ······ 60
- by ······ 220

C
- call ······ 110
- can ······ 274
- come ······ 84
- cut ······ 258

D
- do ······ 172
- down ······ 216

E
- each ······ 180

F
- face ······ 278
- find ······ 228
- for ······ 142

- from ······ 296

G
- get ······ 96
- give ······ 236
- go ······ 88
- group ······ 38

H
- hand ······ 64
- have ······ 100
- head ······ 282
- hear ······ 48
- how ······ 76

I
- if ······ 202
- in ······ 130
- into ······ 134
- it ······ 164

K
- keep ······ 244
- know ······ 232

L
- leave ······ 34
- let ······ 176
- like ······ 40
- line ······ 286

live ········ 256
look ········ 150

M

make ········ 22
many ········ 184
move ········ 248

N

need ········ 114

O

of ········ 168
on ········ 204
or ········ 290
out ········ 138
over ········ 208

P

picture ········ 44
place ········ 126
play ········ 52
put ········ 118

R

run ········ 26

S

say ········ 106
see ········ 154
set ········ 122

show ········ 240
so ········ 186
some ········ 182

T

take ········ 92
tell ········ 104
that ········ 194
then ········ 190
there ········ 198
this ········ 192
to ········ 146
too ········ 46
try ········ 74
turn ········ 252

U

up ········ 212
use ········ 56

W

want ········ 116
what ········ 80
when ········ 68
will ········ 292
with ········ 224
work ········ 30
write ········ 234

本文イラスト／村住彩野
編集協力／竹下祐治
英文ネイティブチェックおよびダウンロード・ナレーション／
　ヴィンセント・マークス　Vincent Marx
本文DTP／川又美智子

本書は、本文庫のために書き下ろされたものです。

知的生きかた文庫

たった「80単語」!
読むだけで「英語脳」になる本

著　者	船津　洋（ふなつ・ひろし）
発行者	押鐘太陽
発行所	株式会社三笠書房 〒102-0072　東京都千代田区飯田橋3-3-1 https://www.mikasashobo.co.jp
印　刷	誠宏印刷
製　本	若林製本工場

ISBN978-4-8379-7862-6 C0182
© Hiroshi Funatsu, Printed in Japan

本書へのご意見やご感想、お問い合わせは、QRコード、
または下記URLより弊社公式ウェブサイトまでお寄せください。
https://www.mikasashobo.co.jp/c/inquiry/index.html

＊本書のコピー、スキャン、デジタル化等の無断複製は著作権法上での例外を除き禁じ
られています。本書を代行業者等の第三者に依頼してスキャンやデジタル化することは、
たとえ個人や家庭内での利用であっても著作権法上認められておりません。
＊落丁・乱丁本は当社営業部宛にお送りください。お取替えいたします。
＊定価・発行日はカバーに表示してあります。

「知的生きかた文庫」の刊行にあたって

「人生、いかに生きるか」は、われわれにとって永遠の命題である。自分を大切にし、人間らしく生きよう、生きがいのある一生をおくろうとする者が、必ず心をくだく問題である。

小社はこれまで、古今東西の人生哲学の名著を数多く発掘、出版し、幸いにして好評を博してきた。創立以来五十余年の星霜を重ねることができたのも、一に読者の私どもへの厚い支援のたまものである。

このような無量の声援に対し、いよいよ出版人としての責務と使命を痛感し、さらに多くの読者の要望と期待にこたえようと、ここに「知的生きかた文庫」の発刊を決意するに至った。

わが国は自由主義国第二位の大国となり、経済の繁栄を謳歌する一方で、生活・文化は安易に流れる風潮にある。いま、個人の生きかた、生きかたの質が鋭く問われ、また真の生涯教育が大きく叫ばれるゆえんである。そしてまさに、良識ある読者に励まされて生まれた「知的生きかた文庫」こそ、この時代の要求を全うできるものと自負する。

本文庫は、読者の教養・知的成長に資するとともに、ビジネスや日常生活の現場で自己実現できるよう、手助けするものである。そして、そのためのゆたかな情報と資料を提供し、読者とともに考え、現在から未来を生きる勇気・自信を培おうとするものである。また、日々の暮らしに添える一服の清涼剤として、読書本来の楽しみを充分に味わっていただけるものも用意した。

良心的な企画・編集を第一に、本文庫を読者とともにあたたかく、また厳しく育ててゆきたいと思う。そして、これからを真剣に生きる人々の心の殿堂として発展、大成することを期したい。

一九八四年十月一日

押鐘冨士雄

知的生きかた文庫

スマイルズの世界的名著 自助論
S・スマイルズ[著] 竹内均[訳]

「天は自ら助くる者を助く」——。刊行以来今日に至るまで、世界数十カ国の人々の向上意欲をかきたて、希望の光明を与え続けてきた名著中の名著!!

「1冊10分」で読める速読術
佐々木豊文

音声化しないで1行を1秒で読む、瞬時に行末と次の行頭を読む、漢字とカタカナだけを高速で追う……あなたの常識を引っ繰り返す本の読み方・生かし方!

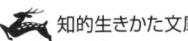

超訳 孫子の兵法 「最後に勝つ人」の絶対ルール
田口佳史

ライバルとの競争、取引先との交渉、トラブルへの対処……孫子を知れば、これまでの「駆け引き」と「段取り」に圧倒的に強くなる! ビジネスマン必読の書!

なぜかミスをしない人の思考法
中尾政之

「まさか」や「うっかり」を事前に予防し、時にはミスを成功につなげるヒントとは——「失敗の予防学」の第一人者がこれまでの研究成果から明らかにする本。

時間を忘れるほど面白い雑学の本
竹内均[編]

1分で頭と心に「知的な興奮」! 身近に使う言葉や、何気なく見ているものの面白い裏側を紹介。毎日がもっと楽しくなるネタが満載の一冊です!

たった18単語!
読むだけで英会話脳になる本

今日からすぐ「わかる」「使える」!

Hiroshi Funatsu
船津 洋

「話せる英語」が
どんどん増える本!

960例文が全部聞ける!
無料ダウンロード(フリー)つき!

① **get** ② **have**
③ **give** ④ **take**
⑤ **come** ⑥ **go**

この「基本6単語」だけでも、
あなたの英語力は、
ガラリと変わる!

◎たとえば "take" は、
「持っていく」「選び取る」「受け入れる」
──このイメージで、意外なほど伝わる!